D0423812
ro
ro
ro

«Peter Bachér versteht es, mit dem Herzen
zu denken und mit dem Verstand zu fühlen.»
Justus Frantz

Glück, Liebe, Menschlichkeit, Freundschaft,
Vertrauen und Zuversicht: Peter Bachér versteht es
meisterhaft, sein Augenmerk auf das zu
richten, wofür es sich zu leben lohnt – besonders
in einer Welt voller Zweifel und Ungewissheit.

Peter Bachér

Glücklicher Sonntag

Rowohlt Taschenbuch Verlag

Veröffentlicht im Rowohlt Taschenbuch Verlag,
Reinbek bei Hamburg, Dezember 2004

Umschlaggestaltung any.way, Wiebke Jakobs
(Abbildung: Monet «La promenade»/akg-images)
Satz aus der Aldus PostSkript bei
Pinkuin Satz und Datentechnik, Berlin
Druck und Bindung Druckerei C. H. Beck, Nördlingen
Printed in Germany
ISBN 3 499 23761 X

Inhalt

Einstimmung

Sonntag. Kein Tag ist diesem vergleichbar. Der Tag, in den wir uns voller Freude hineinschwingen, an dem wir das Kostbarste in Ruhe genießen können, was uns dieses Leben bietet und was wir in der alltäglichen Hetzjagd nach Glück und Gut oft übersehen oder so richtig nicht wahrnehmen: das Geschenk der Zeit. Ein Tag der Kursbestimmung, der Fragen an uns selbst: Leben wir richtig? Was wollen wir – und vor allem: Was wollen wir nicht? Ein Tag der guten Gedanken, der Erkenntnis, die der römische Kaiser und Philosoph Marc Aurel so wunderbar in wenigen Worten niederschrieb: «Vergiss auch nie, dass jeder nur diesen Augenblick lebt; die übrige Zeit hat er gelebt oder sie liegt im Ungewissen.» Mögen wir an den anderen sechs Wochentagen der Welt da draußen gehören, dem lauten Treiben, den Geschäften, der Familie, dem Sport, dem politischen Streit, dem Kampf ums Dasein im materiellen Sinne – der Sonntag ist der Tag, an dem wir ganz uns selbst gehören; und den Menschen, die wir lieben und die uns lieben. Und einer Natur, die größer ist als wir selbst – und die uns demütig macht. Nur wenn uns diese innere Einkehr gelingt, können wir abends in den Schlaf sinken mit dem beglückenden Gefühl, einen wirklich schönen Sonntag erlebt zu haben.

Die Tür zur Vergangenheit – lass sie nicht ins Schloss fallen

Mein lieber Freund, wie gut kann ich nachempfinden, was dich beschäftigt, ja zu quälen scheint, wenn ich deine Zeilen richtig deute: die Frage nämlich, ob du all die vielen Briefe und Fotos, die du seit der «fröhlichen Studentenzeit» gesammelt hast, dem Feuer anheim geben sollst – oder nicht.

Du bist in den Keller gegangen, hast dich in die hinterste Ecke verirrt, den Koffer der Erinnerung entdeckt, in dem sich fünfhundert oder tausend oder mehr Briefe und andere Zeugnisse deines gelebten Lebens befinden – und fragst dich nun: Wird sich je jemand für all das interessieren, was sich da angehäuft hat?

Eigentlich hast du all die Briefe gesammelt, weil ... ja, so genau kannst du die Frage heute nicht mehr beantworten. Weil die Kinder, die Enkel das einmal lesen sollen? Oder weil du selbst anhand dieser Dokumente noch einmal den Film deines Lebens in Gedanken abspulen willst?

Es sind Schätze darunter, keine Frage. Du hast mir davon vor Jahren erzählt. Die Briefe an deine Mutter aus der Gefangenschaft 1944 in Frankreich, als du blutjung den ersten Toten gesehen hast, zum Skelett abgemagert, verhungert, ein Kumpel im Zelt neben dir. Viele Briefe gibt es aus den Jahren, als es dann bergauf ging, das erste Auto 1953, ein Volkswagen mit Zwischengas, 3300 Mark kostete der Spaß, in zwölf Raten bezahlt. Und als du mit ihm erstmals über den Brenner nach Bella Italia geschnurrt bist, waren die Raten vergessen.

Dein ganzes Leben kannst du nachlesen, im Widerschein der Briefe, die dich aus dem großen Kreis deiner Familie und deiner Freunde erreichten. Auch Liebesbriefe deiner Frau sind darunter, «von einer Zärtlichkeit, die nachzuempfinden fast schmerzhaft ist», wie du dich erinnerst.

Umso mehr denke ich, dass dich die Melancholie des Älterwerdens plötzlich gestreift hat, dieses Gefühl, dass man umso einsamer wird, je weiter die Zeiger auf der Lebensuhr voranschreiten – und dass ein gedanklicher Ausflug in die Vergangenheit in Wahrheit die Verengung des Lebens in der Gegenwart erst richtig deutlich werden lässt. Und dann die Kinder, die Enkel! Es ehrt dich, dass du deinen Erben ersparen möchtest, zu entscheiden, was «mit dem Gerümpel» zu geschehen hat – übrigens keine schmeichelhafte Formulierung für den ungehobenen Schatz in deinem Keller.

Vielleicht kommt es ja aber auch ganz anders, als du heute vermutest: dass die Kinder oder Enkel nämlich eines Tages den Koffer öffnen und mit zunehmender Spannung einsteigen in eine Lektüre, die man in keinem Geschichtsbuch findet. Und was sie lesen werden, ist nicht anonym, sondern hat mit einem Menschen zu tun, den sie kannten und liebten.

«Die Tür der Vergangenheit ist ohne Knarren nicht zu öffnen.» Kennst du dieses schöne Dichterwort? Mögen deine Kinder heute auch ihre Ohren viel zu oft auf Durchzug stellen, sobald du beginnst, von den alten Zeiten zu erzählen, so haben sie später, reifer geworden, vielleicht doch den Wunsch, mehr von dir zu erfahren, als sie heute wissen wollen. Und die vergilbte Post wird zur aufregenden und authentischen Lektüre. Dann wollen sie vielleicht doch das Knarren hören …

Aber ich gebe zu, lieber Freund: Wir drehen uns leider im Kreise. Es kann richtig sein, den Koffer nicht zu öffnen, ihn stehen zu lassen, wo er steht. Es kann richtig sein, die Reise durch ein halbes Jahrhundert anhand der Briefe und Fotos noch einmal anzutreten. Und es kann richtig sein, wenigstens die wichtigsten Dokumente herauszufischen und für die Erben aufzuheben – in einem kleineren Koffer.

Nur eines ist bestimmt nicht richtig: über fünfzig Jahre lang Korrespondenz zu sammeln und sie dann spontan ins Feuer zu werfen, nur weil gerade ein Schatten auf deine Seele gefallen ist.

Schlafende Träume soll man nicht wecken

Plötzlich kommt dann auf eine sehr geheimnisvolle Weise dieses Gefühl: Man müsste doch einmal wieder die Stätten seiner Jugend besuchen. Dort vorbeischauen, wo man als Kind Träume vom Himmel holte. Nur einmal nachsehen, ob noch alles so ist, wie es in den Gedanken aufgezeichnet ist: so groß, so weitläufig, so bunt, so ungeheuer lebendig. Und dann macht man den Fehler und fährt eines Tages – vielleicht auf einer Ferienreise, vielleicht auf einer Dienstreise, vielleicht in den besinnlichen Tagen zwischen den Festen – wirklich hinein in seine eigene Vergangenheit.

Schon die Einbiegung in die Straße, die doch einst Schicksal war – damals, als die Schulmappe immer schwerer wurde, als man hier dem Abitur zustrebte –, schon diese Einbiegung lässt erkennen, dass die Erinnerungen alles verschoben haben.

Oder: dass inzwischen Straßenbauer am Werk gewesen sind, denn die Kurve am Stadtpark ist schneller genommen, der Weg ist kürzer, das Ziel viel kleiner – das damalige Elternhaus, da steht es nun seltsam vertraut und fremd zugleich. Es ist viel schmächtiger, es passt so gar nicht zu meiner kolossalen Kindheit.

Die Tür zum Garten: verwittert. Die Hecke, in der wir uns versteckten, um die vom Markt heimkehrende Mutter zu überfallen, würde Dornröschen zur Ehre gereichen. Die Tannen, die fünf stolzen Paradestücke vor dem Haus: Jetzt erst hatten sie den Schornstein knapp überrundet – wie hoch waren sie mir schon damals, vor Jahrzehnten, erschienen!

Alles machte einen dahinwelkenden Eindruck.

Ich schlich um das Haus, wurde aus dem Küchenfenster argwöhnisch beobachtet – wer hat schon gern, wenn sein Besitz so genau inspiziert wird –, und ich konnte doch nicht erklären, wie harmlos dieser Ausflug in die Vergangenheit zu bewerten ist.

Ich wusste nur, dass ich in ebenjener Küche absichtlich einen Topf Spinat vom Herd gestoßen hatte, als niemand in der Küche war – ich konnte Spinat nicht ausstehen.

Auf der Rückseite des Hauses: die Fliederlaube, in der ich meine Schularbeiten machte, sobald es Sommer gab, aber auch hier war alles Verwunschene verschwunden.

Und auch der Himmel über dem Haus kam mir kleiner, unbedeutender vor, als ich ihn in Erinnerung hatte.

Spätestens in diesem Augenblick spürte ich, dass ich einer doppelten Täuschung zum Opfer gefallen war: Die Dinge des Lebens sind eben nicht nur die viel beschworenen Realitäten, sie sind eben auch die Bilder, die wir uns von ihnen machen.

Mein Elternhaus war bis vor wenigen Stunden für mich gewesen: groß, nobel, weitläufig, von Sonne überstrahlt, von Flieder umzäunt, inmitten eines Tannenwaldes, eine herrliche Geschichte mit einem roten Luftballon am Schornstein.

Und sogar das Fahrrad, das mir auf dem Schulhof gestohlen worden war und noch lange durch meine verängstigten Träume fuhr, kam auf eine geheimnisvolle Weise immer wieder, wie es eben nur in Träumen und in Märchen geschieht …

Und nun? Nach diesem Besuch war mein Elternhaus: nicht so groß, bei weitem nicht so nobel, an einer Straße gelegen, die schon eine so merkwürdig armselige Einbiegung hat – wirklich: Ich hätte diesen Besuch in der Erinnerung nicht machen dürfen.

Wann werde ich nur begreifen, dass die Wahrheiten von gestern nichts mit den Wahrheiten von heute zu tun haben? Schlafende Träume sollte man wohl doch nicht wecken.

Stirbt Venedig den Tod auf Raten?

Die Bilder vom überfluteten Markusplatz in Venedig, die ich immer wieder und immer öfter sehen muss, überfluten mich, stimmen mich traurig, schmerzen dem Auge, wecken Gefühle der Ohnmacht – und der Wut.

Ich sehe Notbrücken, die über das ungebändigte Wasser gelegt wurden, Touristen, die fröhlich auf Balken für die Fernsehkamera balancieren. Einige Menschen rufen sogar einander Scherzworte zu, ein lustiges Erlebnis – Venedig unter Wasser, da kann man zu Hause was erzählen.

Aber die Bilder sind zuvor schon via Satellit in alle Welt gegangen. Venedig ist immer eine Reportage, eine Schlagzeile wert, auch wenn man sich an diese Hiobsnachrichten längst gewöhnt hat wie an eine unheilbare Krankheit. Ist die Serenissima noch zu retten? Die Experten jedenfalls läuten immer wieder das Totenglöcklein.

Sicher, es ertrinken keine Menschen, es werden keine Autos weggespült, es knicken keine Häuser ein wie bei den großen Überschwemmungen in anderen Erdteilen – die Paläste am Canale Grande scheinen für die Ewigkeit gebaut. Doch dieser Schein trügt. Venedig sei auf Dauer nicht zu retten, sagen die Experten.

Und was ist mit unserem Glauben an unsere Fähigkeit, ein solches Juwel zu schützen und zu retten? Wir konnten zum Mond fliegen, aber was Generationen vor uns schufen, kühn in das Meer hineinbauten, das scheinen wir nicht bewahren zu können.

Wer je Venedig besucht, spürt die Majestät dieser Stadt. Er muss gar nicht so feinfühlig sein wie vor vielen Jahren Johann Wolfgang von Goethe, der in seinem Tagebuch am 28. September 1786 über seinen ersten Eindruck notierte: «So stand es denn in dem Buche des Schicksals auf meinem Blatt geschrieben, dass ich abends, nach unserer Uhr um fünfe, diese wunderbare Inselstadt betreten und besuchen sollte.»

Welch ein erhabener, fast pathetischer Beginn einer privaten Tagebuchnotiz! Aber der Stadt würdig. So empfindet eben nur jemand, der nicht «last minute» gebucht hat, der nicht «ein Schnäppchen» mitnimmt, sondern der sich dieser Stadt mit jener Ehrfurcht nähert, die sie verdient.

Er habe sich vor Venedig, vor dem ersten Kennenlernen sogar «geängstigt», notierte der Dichterfürst. Man glaubt es kaum, wüssten wir nicht, dass es immer wieder gerade in Italien bei der Begegnung mit der Pracht und der Herrlichkeit der Bauten und Kunstwerke zu einem Überschwang der Gefühle kommt, der manchmal bedrohliche Ausmaße annimmt.

Der Leiterin der psychiatrischen Abteilung der Klinik Santa Maria Nuova in Florenz war beispielsweise aufgefallen, dass immer wieder Touristen unversehens in depressive Stimmungen fielen, überwältigt von zu viel Schönheit und Kunst – «Michelangelo macht krank», schrieben die Zeitungen in dicken Lettern über dieses Phänomen.

Wir sehen: Es sind also nicht nur die zarten Seelen der Poeten, die hier in Schwingungen geraten. War für Goethe Rom die Stadt, von der er schrieb: «Ich zählte einen zweiten Geburtstag, eine wahre Wiedergeburt von dem Tage an, da ich Rom betrat» –, so war für ihn Venedig «ein herrliches Monument, ein großes respektables Werk versammelter Menschenkraft».

Besser kann man es nicht ausdrücken: «versammelte Menschenkraft», die hier einst am Werke war, die es heute leider nicht mehr gibt. Was ist das für eine trostlose Zeit, in der es uns nicht möglich ist, ein solches Zeugnis menschlicher Größe vor dem Verfall, dem Tod auf Raten nach jedem Regenorkan zu bewahren.

Leider irrte Goethe nur in einem einzigen Punkt: als er zehn Tage nach der Ankunft voller Optimismus schrieb, «die Menschen würden schon, den Kanälen klug nachhelfend, jede Zerstörung abwehren können».

Ich stelle mir vor, dass der liebe Gott hin und wieder auf unsere Erde schaut, dabei auch schon mal sein Teleskop in Richtung Venedig schwenkt und dann am Zustand dieser Stadt wie unter einem Brennglas den Zustand unserer Zeit erkennt. Und der ist leider eines: krank.

«Erst wo wir nicht begehren, tut sich die Seele der Dinge auf»

Mein lieber junger Freund, Sie waren lange Zeit nicht mehr in unserer verschwiegenen Bucht am Mittelmeer, in der wir früher in wunderbar entspannten Gesprächen unsere kleine Welt in Gedanken hin- und herwendeten, um ihren Sinn zu erforschen und den besten Weg zu suchen, wie in ihr und mit ihr umzugehen ist.

Es waren Gespräche für unsere Seele. Auch wenn es um Projekte, um Ihre Firma, um Ihre Rolle als aufstrebender junger Unternehmer ging, so lag doch über allem eine ganz andere Stimmung, als wir sie sonst von den zielgerichteten Konferenzen in der Hektik des Berufsalltags kennen.

Das Geheimnis, warum ich so gerne daran zurückdenke, hat sich mir erschlossen, als ich jetzt zufällig ein paar Zeilen von Hermann Hesse las – und plötzlich wusste: Das ist der Zauber, den wir alle suchen und so selten finden. «Erst wo wir nicht begehren, tut sich die Seele der Dinge auf», schrieb Hesse, verzerrend hingegen sei der «Blick des Wollens».

Wenn ich beispielsweise einen Wald betrachte, den ich kaufen, pachten, abholzen oder mit einer Hypothek belasten will, dann besteht der Wald für mich aus nichts anderem als aus Holz, ist jung oder alt, gesund oder krank. Ich stelle eine Beziehung her zu meinen Plänen und meinem Geldbeutel. Erst wenn ich nichts erwarte und buchstäblich gedankenlos in seine grüne Tiefe blicke, offenbart sich mir die Natur in ihrer ganzen Pracht.

So ist es auch mit den Menschen, wenn ich in ihre Gesichter schaue – und von ihnen nichts erwarte.

Und deshalb verstehe ich auch so gut Ihren Stoßseufzer, als Sie mir gestern am Telefon erzählten, wie ausgepumpt Sie seien, «aber nicht von der Arbeit, bei Gott nicht, sondern von den Menschen».

Die Härte, mit der heute jeder gegen jeden kämpft, die Trickserei, das Mobben, die gelangweilte Unverbindlichkeit, das Nichteinhalten von Zusagen, das Zuspätkommen, der Verlust jener Fähigkeit, sich auch einmal für begangene Fehler im Umgang miteinander zu entschuldigen, gar um Verzeihung zu bitten – Sie konnten gar nicht so schnell reden, um die Klagen, die Ihr Herz beschweren, alle aufzuzählen.

Vielleicht hat Ihre Enttäuschung über die Menschen, mit denen Sie Tag für Tag zusammen- oder, besser gesagt, leider gegeneinander arbeiten, damit zu tun, dass all die anderen auch den Fehler machen, den ich bei Ihnen jetzt zu entdecken glaube. Dass sie alle die innere Stimme überhören, die sich nur leise meldet und die sagt: Halte inne, höre auch einmal auf die Seele, denn sie ist, so geheimnisvoll es klingt, der Motor aller Erfolge – und das Unterpfand des persönlichen Glücks.

«Denn Glück empfinden kann nur die Seele, nicht Verstand, nicht Bauch, Kopf oder Geldbeutel», so der Dichter des «Glasperlenspiels».

Ich schreibe Ihnen diese Zeilen, lieber junger Freund, weil ich mir wünsche, Sie in diesem Sommer einmal wieder in «unserer» kleinen Bucht zu sehen, wo wir den ganzen Jammer mit Karriere, Durchboxen, den Konkurrenten Ausstechen im milden Licht der untergehenden Sonne wenigstens für einige Stunden vergessen werden.

Ja, es waren Gespräche für unsere Seelen, die wir – seltsamerweise! – zu schützen glauben, wenn wir sie verleugnen, was wir allerdings nicht gerne zugeben. Und warum ist das so? Weil seelische Empfindsamkeit nicht in unsere Zeit passt, die alles Mögliche ist, vor allem aber cool, ganz besonders cool.

Lasst uns Netze werfen, um die Zeit zu fangen

Haben Sie ein paar Minuten Zeit, ich bin verabredet mit einem Mann, der zu den Größten gehört, welche die Welt-Philosophie je gesehen hat: mit Seneca, dem Mann aus Córdoba, der zu Zeiten Christi in Rom als Erzieher des Kaisers Nero diente – und dessen Schriften zweitausend Jahre überdauerten.

Kein hochmütiges Lächeln, bitte. Wer von den heutigen Philosophen und Dichtern kann auch nur eine Sekunde davon träumen, dass seine Schriften im Jahr 4000 noch gelesen werden?

Ich spreche mit Seneca über die Zeit, die dahineilt wie ein Überschalljet – ein Ungeheuer, das alles verschlingt. War es nicht «erst gestern», dass wir Silvester feierten, das Millennium? Wo sind die Jahre seit 2000 geblieben?

Seneca sagt mit leiser Stimme: «Die Gegenwart ist immer überaus kurz, und zwar ist die Zeit so kurz, dass sie manchem wie gar nichts vorkommt, ja, sie hört eher auf, als sie kam.»

Sieh an, diesen Schmerz kannte man also immer schon. «Es kommt nicht darauf an, wie viel Zeit uns gegeben wird, wenn nichts da ist, wo sie haften bleibt, durch schadhafte und durchlöcherte Seelen rinnt sie ganz einfach hindurch.»

Seneca senkt sein weises Haupt demütig, denn er ist sich sicher: Er hat das Ewiggültige über den kostbarsten Stoff, den dieses Leben uns bietet, soeben in Worte gefasst.

Durchlöcherte Seelen! Das muss einem einfallen. Das sieht man bildlich vor sich – und erschrickt.

Wir müssen also, antworte ich, ein paar Netze auswerfen, in denen sich die Zeit verfangen kann. Ja, sagt Seneca – aber was kann das sein?

Mit Sicherheit nichts von den Luxusgütern, die jetzt in die Schaufenster drängen, angestrahlt von Neon- und Kerzenlicht.

Nein, es ist anderes. Ein langes Gespräch beispielsweise, das ein wirkliches Zwiegespräch ist, nicht der Monolog eines Egomanen. Es kann ein Spiel mit Kindern sein, ein Spaziergang am Meer, wenn die Wellen aufschlagen, eine Reise zu Freunden, ein Buch, dessen Lektüre neue Horizonte öffnet. Es ist nur wenig, was wir als Erinnerung in die Zukunft mitnehmen können.

Seneca hat es uns gesagt: «Nur wenn unsere Seele berührt wird, halten wir die Zeiger der rasenden Lebensuhr an.» Inmitten einer Welt, die immer gieriger wird, die uns so viel verspricht an «Last-minute-Glückseligkeit», entdecken wir plötzlich eine Wahrheit: dass wir, von der Reklame angeheizt, tausend Dinge tun könnten, aber doch nur Kraft und Zeit haben, einen Schritt zu seiner Zeit zu tun.

Gewiss, die Angebote lassen uns träumen – für 300 Euro eine Woche nach New York ist nur ein Beispiel für die vielen Verführungen, die es heute gibt – hin zu einem Leben nach dem Titel des ewigen Bestsellers: «Sorge dich nicht, lebe».

Aber was ist die Wirklichkeit?

Da ist alles schmaler, enger, wenig glanzvoll. Der Alltag ist doch zumeist Verzicht, Arbeit, gewiss auch Freude, aber das meiste ist eben doch viel Kleingeld.

Da ist es trostreich, dass wir wenigstens versuchen, mit unserer Zeit immer klüger umzugehen. Ich kenne niemanden mehr, der seine Zeit «totschlägt». Der nicht traurig ist, wenn er Zeit verplempert, durch Warten verliert. Und ich kenne auch niemanden, der sich nicht nach Stille sehnt.

Ja, man möchte wieder einmal sein eigenes Herz schlagen hören. Das ist mit das Beste, was man über uns sagen kann.

Von der Schwierigkeit, eine Familie zu regieren

Ich weiß nicht, was Sie von der Familie halten. Ist sie die «Quelle des Segens», wie Martin Luther sagte, der Hort des Glücks, der geweihte Boden aller Sittlichkeit?

Nach meinen jüngsten Erfahrungen mit einem geplanten Familientreffen neige ich jetzt dazu, eher der alten chinesischen Weisheit zuzustimmen, die da lautet: «Leicht ist es, ein Reich zu regieren, aber schwer, eine Familie.»

Denn mit meiner Idee, ein Familientreffen zu arrangieren vor der gewaltigen Kulisse des Heiligen Landes, im Schatten der goldglänzenden Kuppel des Felsendoms in Jerusalem, bin ich vorerst gescheitert.

Dabei hatte alles furios begonnen, als ich den Plan, den mir ein Traum eingegeben hatte, mit meiner Tochter beim Frühstück besprach. Ich ließ mir den Namen der Stadt, der meine Sehnsucht gilt, auf der Zunge zergehen – Jerusalem. Und was kam als Echo? Ein spontanes: «WOW.»

Ihre Zustimmung war mir wichtig, denn wenn die Achse Vater-Tochter stimmt, ist eigentlich familiär schon alles gelaufen. So wurde rumtelefoniert, und siehe da: Alle waren begeistert. Jerusalem, ja? Das ist WOW.

Und in dunklen deutschen Wintertagen hielt mich das Bild aufrecht, das ich vor meinem geistigen Auge sah: die ganze Sippe vereint unter dem goldgelben Licht der Heiligen Stadt, von der es in der Legende heißt: «Zehn Maß Schönheit kam in die

Welt, Jerusalem bekam davon neun Maß, die übrige Welt eins. Zehn Maß von Leid kam in die Welt; Jerusalem bekam davon neun, die übrige Welt eins.» Wahrlich, keine Stadt also wie jede andere. Und in der man, wenn man an die immer wieder aufflackernde Gewalt denkt, genauso in Gottes Hand ist wie überall sonst auch.

Doch dann kam etwas ganz Alltägliches ins Spiel, was man die normative Kraft des Faktischen nennt. Erst kündigte ein Enkel an, ausgerechnet im Mai würde die entscheidende Prüfung sein, das ganze Studium stehe auf der Kippe. Dann fragte eine Schwiegertochter, ob wir das Treffen nicht verschieben könnten, in ihrer Firma sei zurzeit der Teufel los, Mobbing und so. Dann fragte ein Älterer plötzlich, ob es im Mai für ihn nicht schon zu heiß in Israel sei; und wieder ein anderer wollte einen Tag später zur Familie dazustoßen. «Ist Umbuchen noch drin?»

Um es kurz zu machen: Die ganze liebe, weit verzweigte Familie unter einen Hut zu bekommen erwies sich plötzlich nicht nur als äußerst schwierig, sondern faktisch als unmöglich.

Aber: Ich gebe nicht auf! Die Reisevorbereitungen laufen weiter. «Nächstes Jahr in Jerusalem», dieser Gruß gilt auch für mich. Als «Familienoberhaupt» zurzeit zwar gescheitert, hoffe ich, alle Lieben doch noch nach Jerusalem zu bringen – diesem Juwel auf der Landkarte der Erde. Ich wünsche es, weil dort die Seele der Menschen berührt wird wie nirgends sonst; und weil ich glaube: Genau das tut uns allen hin und wieder gut.

Auf der Suche nach dem Geheimnis des Lebens

Geheimnisvoll, diese Erinnerungen. Sie tauchen auf, ohne gerufen zu sein. Sie haben keinen Namen, und doch sind sie da, sobald das Codewort fällt.

Die Frau an meiner Seite wurde plötzlich ganz still. Ich hatte, ohne es zu wollen, so ein Codewort genannt, und die Erinnerung überkam sie. Sie sagte dann einen Satz, dem sie lange nachlauschte: «Ich habe nach seinem Tod wochenlang nicht gewusst, ob ich selbst noch am Leben bin.»

Um uns herum wogte die Party. Wir hörten Gläser klirren, Porzellan am Buffet schepperte, im Nebenzimmer gab es aufreizendes Lachen, Stühlerücken, Glenn-Miller-Musik. Wir hörten alles, und wir hörten es plötzlich doch nicht mehr.

Keine Szene für ein Gespräch wie unseres, das sich inmitten dieser heiteren Stimmung, völlig unvermittelt, um den Tod ihres Mannes drehte.

Wann war es geschehen? Vor Jahren? Vor Jahrzehnten?

Ich weiß es nicht. Der Mann war mein guter Freund, und Freunde bleiben gegenwärtig, da zählt man nicht die Jahre.

Und doch war ich glücklich, dass wir das Blablabla der Partygespräche durchbrochen hatten. Es ging mir schon lange auf die Nerven. Wie war Weihnachten? Wo waren Sie Silvester? In St. Moritz – oder doch nur in Kitzbühel? Was macht Ihr Depot? Haben Sie auch Daimler-Aktien? Phrasen, Wortgeklingel.

Das Kleingeld der Konversation. Dazwischen viel Falschgeld:

Gut sehen Sie aus. So jung waren Sie noch nie. Verraten Sie mir das Geheimnis?

Und auf einmal, ganz ungewollt, die Berührung der Seele. Ich hatte an eine Konferenz mit ihrem Mann erinnert, mit dem ich lange zusammengearbeitet habe, und davon erzählt, durchaus beiläufig, aber die Erwähnung seines Namens genügte, und die Frau schüttete den ganzen Partymüll zur Seite.

Sie berichtete nun, ganz leise, aber sehr intensiv, dass sie nach dem Herztod ihres Mannes wie gelähmt war, nicht nur für Tage, sondern für Wochen, und dass der Verlust ... Dann hielt sie abrupt inne, als wolle sie schnell eine Mauer um diese Erinnerung hochziehen, eine Mauer des Schweigens.

Vielleicht hat sie gedacht: Was hat das alles, das so weit zurückliegt, hier zu suchen? Wir sind doch auf einer Party. Bloß niemanden langweilen. Und vor allem: niemanden mit dem eigenen Schicksal und den Erzählungen von seiner Allmacht belästigen. Deshalb winkte sie einer Freundin zu, die heftig flirtete, und fragte mich, wie ich ihren Party-Begleiter fände.

Nun war der Smalltalk wieder da, die Unterhaltung wieder im seichten Wasser des Dahinplätscherns.

Ich war für einen Moment ratlos. Wie verhält man sich jetzt richtig? Soll man einen Gedankenaustausch, der gerade zu den wirklich wichtigen Fragen vordringt, bei dem es also plötzlich um Lebensangst, Krankheit und Tod geht, abwürgen? Soll ich zulassen, dass die Frau sich aus einem solchen Sichoffenbaren flüchtet, nur weil sie denkt, sie dürfe mich nicht belästigen?

Oder ist es an mir, dieses Aufkeimen der Erinnerung, welche die Seele bedrückt, zuzulassen und die Freundin oder den Freund zu ermuntern, weiterzusprechen?

Ich habe der Frau am nächsten Tag geschrieben, ich würde sie gerne noch einmal sehen und in Ruhe mit ihr über alles sprechen. Weil ihr Mann mein Freund war und weil ich mehr wissen möchte über den Schmerz, den sie immer noch in ihrer Erinnerung hat.

Ich weiß nicht, ob dies eine zulässige Neugier ist, aber ich denke, wir sind alle auf der Suche, im Gespräch dem Geheimnis des Lebens, zu dem der Schmerz und der Verlust gehören, ein Stück näher zu kommen.

Und was soll ich sagen? Am nächsten Sonntag sind wir verabredet. Ohne Party – einfach so.

Im Wartezimmer: Zeit, mal über sich selbst nachzudenken

Es ist eine geheimnisvolle Welt, in die ich gleich hineingehen werde. Die Welt der leisen Töne, der Schmerzen, der Klagen über die Hinfälligkeit, aber auch der Hoffnungen – es ist die Welt der Arztpraxis, und ihr vorgeschaltet ist ein Raum, der Wartezimmer heißt, weil es den Weg zur Gesundheit ohne Warten nicht zu geben scheint.

Ich mag keine Wartezimmer, weil ich Warten nicht mag. Das ist eine Schwäche, Überbleibsel aus den Hungerjahren nach dem Krieg, als ich stundenlang anstehen musste. Irgendwie komme ich mir seither immer noch vor wie ein Gefangener, wenn ich, eingeklemmt zwischen anderen Patienten, auf den erlösenden Ruf warten muss: «Der Nächste, bitte.»

Jetzt sind schon vierzig Minuten über die Zeit hinweg vergangen, zu der ich bestellt worden war. Ich wollte auch schon mal rausgehen, den Termin anmahnen, aber dann wartete ich geduldig. Wer will schon das Schicksal provozieren, geht es hier nicht um Wichtigeres?

Doch dann meldet sich die eine innere Stimme: Steh auf, geh nach Hause, du hast lange genug gewartet. Der Laden hier ist schlecht organisiert, und schließlich gibt es ja noch andere Praxen.

Und dann ist da die andere Stimme: Nun gib schon Ruhe, es wird gute Gründe haben, dass du warten musst. Schau in die Gesichter der Patienten, denen es vielleicht schlechter geht als dir, nutze die Zeit, mal über dich selbst nachzudenken. Zum Beispiel darüber, warum du überhaupt hier gelandet bist, bei deinem temporeichen Leben, das keine Rücksicht auf die Gesundheit kennt.

Wartezimmer, Schicksalszimmer. Wie viele Menschen mögen hier schon ausgeharrt haben, ehe das Fallbeil einer schlimmen Diagnose niedersauste? Der Mann mir gegenüber, etwa um die fünfzig, krümmt sich nach vorne. Er hat offenkundig starke Schmerzen. Ein Notfall, wie ich später höre. Er hatte keinen Termin vereinbart, das hat die jäh aufgebrochene Krankheit ihm abgenommen.

Nun beginnen meine Gedanken Achterbahn zu fahren. Ich will hier raus. Dann wieder: Du willst doch wissen, was mit deinem Herzen los ist. Die Stiche links im Brustkorb. Die Müdigkeit. Das Kribbeln in den Beinen. Dann wieder: Muss ich es wirklich wissen? Geht das alles nicht vorüber, wie es schon so oft vorübergegangen ist? Heilt nicht die Zeit alle Wunden? Sind wir alle nicht nur so lange gesund, bis wir gründlich bis in die Zehenspitzen untersucht wurden?

Jetzt holt die Schwester den Mann mit dem schmerzverzerrten Gesicht. Er stöhnt auf. Mein Gott, denke ich, geht es mir gut. Ich darf mich glücklich nennen: Glück ist Abwesenheit von Schmerz. Hier im Wartezimmer wird mir das so klar wie der Sommertag, der vor dem Fenster steht.

Seltsam, wie sich in diesem Raum plötzlich die Gedanken drehen, wie sich eine Tugend einstellt, die ich lange nicht bei mir gesehen habe: die Geduld. Und dieses «In-sich-hinein-Horchen», dieses «Nichts-mehr-erzwingen-Wollen», dieses «Sich-Ausliefern» an einen anderen Menschen, der zu helfen verspricht, ist von einer Milde, die mir gut tut.

Denn wir betreten in unserem Leben nur wenige Räume, in denen sich unsere Empfindungen hinwenden zu dem, was im Leben wirklich wichtig ist – das kann ein Kirchenschiff sein, wenn wir im Gestühl beten, ein Krankenzimmer, in dem wir die Tage bis zur Genesung zählen, ein Chef-Zimmer, in dem sich unser berufliches Schicksal entscheidet – und eben das Wartezimmer eines Arztes.

Da höre ich endlich meinen Namen. Ich werde aufgerufen. Und alles ist vergessen: dass ich, kaum dass ich die Praxis betrat, schon türmen wollte. Dass ich mit der Attitüde «Warum werde ich hier nicht sofort behandelt?» eine unsägliche Figur machte.

Was immer der Doktor mir gleich sagen wird: Die vierzig Minuten Warten waren eine Lehrstunde in Sachen Geduld, Demut und Lebensklugheit, die es ganz ohne Rezept gab, ohne Krankenkasse und Gebührenordnung – die ganz wichtigen Dinge kosten ja sowieso nichts, wie wir wissen, auch wenn wir es nicht wahrhaben wollen.

Das Geheimnis nach vierzig Jahren Eheglück

Mein Gott, wo bleiben die Worte? Warum kommen sie nicht, gerade jetzt? Er blickt sich verzweifelt um. Blickt zu seiner Frau, die neben ihm sitzt. Tischreden können manchmal grausam sein. Er hatte in schlaflosen Stunden doch seine Gedanken so fein aneinander gereiht wie Perlen, und nun war die Kette zerrissen, die seine Frau schmücken sollte.

Vierzig Jahre Ehe galt es, mit Worten einzufangen. Das ist noch keine goldene Hochzeit, doch immerhin ein Tag, den man feiert. Gerade heute, da um sie herum jede zweite Ehe zerbricht wie morsches Gebälk im Wind des Zeitgeistes.

Sein bester Freund hatte die Damenrede beendet, und nun stand er da, alle Augen an der großen Tafel waren auf ihn gerichtet; die Frau hielt seine rechte Hand ganz fest, als wollte sie ihm Kraft zukommen lassen, denn sie wusste: Ein großer Redner ist ihr Mann nicht.

Aber nach vierzig Jahren Ehe wird ihm doch etwas Gescheites einfallen. Oder etwas Liebes. Oder etwas Unbeholfenes und darum Liebes. Oder etwas witzig Zusammengereimtes, wie er es früher so gerne vortrug.

Vierzig Jahre Ehe, da gibt es doch genug Stoff! Eine große Truhe voller Erinnerungen. Die erste Sommer-Reise 1960 an die Nordsee, weißt du noch? Die Fahrt hinauf ins Heilige Jerusalem. Der atemberaubende Blick in die Häuserschluchten New Yorks. Und dann kamen die Kinder, die ihrem Leben eine neue Dimension gaben.

Er spricht von alldem, blickt immer wieder zu seiner Frau, und plötzlich überfällt ihn ein fast Schwindel erregendes Gefühl der Ohnmacht: Alle seine Worte gleiten nur an der Oberfläche entlang, werden seiner Frau nicht gerecht, die nun doch sicher hofft, dass etwas noch nie Gesagtes erklingt.

Er hat schon zehn, zwölf Minuten gesprochen, er weiß, die Kellner warten mit dem Hauptgang, doch er bewegt sich immer noch im Niemandsland zwischen all dem Alltäglichen und dem Unglaublichen, dem Wichtigsten: dem Phänomen ihrer so andauernden Liebe.

Er müsste nun bekennen, dass er insgeheim um diese Liebe betet, die er als Geschenk empfindet, ein zerbrechliches Geschenk, je mehr die Jahre dahineilen. Und dass sich auch Angst einschleicht: Wie viele Sommer ihnen noch vergönnt sein mögen? Das wird man jenseits der sechzig ja mal denken dürfen! Und dass er sich oft daran erinnert, was er ihr einmal auf einen Zettel schrieb: «Aufwachen und zu wissen, du bist da – das ist Glück.»

Er hat an all das sekundenschnell gedacht, aber es nicht gesagt. Aus einer – falschen – Scheu? Er weiß es nicht. Und so war er doch traurig, als er sich setzte, trotz des Beifalls der Freunde und des Wangenkusses seiner Frau.

Und er tröstet sich mit dem einen Gedanken: Wahrscheinlich kann man das Geheimnis von vier glücklichen Jahrzehnten überhaupt nicht in ein paar Sätze hineinpressen …

Über manche Dinge kann man nur mit Gott reden

Am Rande des Englischen Gartens in München. Eine kleine Kirche, ein paar Grabkreuze rundum. Glockenschläge. Daneben ein Kinderspielplatz. Leben und Tod dicht beieinander. Werden und Vergehen. Im Kirchengestühl ein paar Gläubige, die Köpfe gesenkt. Andacht ohne Gottesdienst. Eine Stille rundum, die nicht von dieser Welt ist. Ich lenke meine Schritte plötzlich in dieses Gotteshaus. Einfach so, ohne jede Absicht. Am Eingang ein Tisch, darauf ein aufgeschlagenes Buch. Ein «Fürbittbuch». Ich blättere – und beginne zu lesen. Nie zuvor ist mir Vergleichbares unter die Augen gekommen.

«Danke, lieber Gott, dass du meine Gedanken erhört hast. Ich habe den Krebs erst einmal überstanden. Bitte hilf mir, dass ich jetzt auch anderen, die unter dieser Krankheit leiden, Hoffnung geben kann», schreibt Diana aus Kanada in dieses Buch. Eine andere Bitte: «Lieber Vater im Himmel, führe meinen Enkelsohn wieder auf den richtigen Weg. Ich bitte dich von ganzem Herzen.»

«Meine Oma ist vor kurzem gestorben. Mach es bitte so, dass es ihr im Grab gut geht. Sie hatte zu ihrem Geburtstag eine neue Hecke bekommen. Ich bitte dich, dass der verflucht wird, der die neue Vase an ihrem Grab gestohlen hat.»

Die Fürbitte eines Kindes, mit krakeliger Schrift notiert, das rührende Zeichen einer Liebe über Generationen hinweg, wie wir es auch aus diesen Zeilen erkennen:

«Bitte, beschütze mich und meine Familie, besonders meine Oma. Sie hat irgendeine Krankheit am Kopf. Es ist aber noch nicht klar, welche es ist. Lass es keine schlechte Krankheit sein. Und lass sie noch ein wenig leben. Amen.»

«Heute vor drei Wochen ist mein Opa gestorben. Ich bin sehr traurig darüber. Aber ich weiß, dass es ihm da, wo er jetzt ist, besser geht. Und wenn er von oben herniederschaut, wird er sagen: Sei nicht traurig, mir geht es gut.»

Ich lese fasziniert weiter, tauche ein in diese unbekannten Schicksale, die sich in wenigen Sätzen offenbaren. Ihnen allen ist eines gemeinsam: die Suche nach der Liebe Gottes und nach der Geborgenheit im Glauben.

Es gibt aber auch – vordergründig gesehen – viele alltägliche Wünsche wie diese: «Lieber Gott, lass Deutschland bitte Fußball-Weltmeister werden.» – «Hilf mir, meine manchmal aufkochende Wut zu bändigen.» – «Bitte gib, dass mir meine Arbeitskraft erhalten bleibt.» – «Sei immer bei mir, wenn ich einmal traurig bin.» – «Mach, dass der Frieden in unserer Hausgemeinschaft wieder hergestellt wird.» – «Hilf mir, meine Schlüssel wieder zu finden.» – «Lieber Gott, mach, dass die Angehörigen von Erfurt schnell über ihren Schock hinwegkommen.»

Eine durchgängige Melodie in den kurzen Texten ist der Dank an Gott: «Danke, Herr, mir fehlt es an nichts. Ich bin gesund, glücklich und zufrieden. Das alles habe ich nur dir zu verdanken, weil ich dich wieder gefunden habe. Herr, ich will dein Freund sein.»

Unwillkürlich fällt mir die Anekdote von dem ortsbekannten Zweifler ein, den ein Nachbar im Kirchenstuhl kniend entdeckt. Er fragt: «Ich denke, du glaubst nicht an Gott, was machst du dann hier im Gebet?»

Der überraschte Mann blickt auf und antwortet: «Freilich glaube ich nicht an Gott. Aber weiß ich, ob ich Recht habe?»

Was mir bei der Lektüre auffiel? Dass fast alle Fürbitten mit einem Dank verbunden waren, so, als ob diejenigen, die sich in dieses Buch der Sehnsucht eintragen, die Güte und Gnade Gottes schon einmal erfahren haben.

Als ich dieses Fürbittbuch zuschlage, denke ich, dass es trotz aller Ärzte, Psychiater, Psychologen, trotz Vater und Mutter, Lehrer, Vertrauenspersonen aller Art, Freundinnen und Freunde Situationen gibt, in denen wir Hilfe von ganz anderer Seite brauchen und plötzlich erkennen, dass man über manche Dinge nur mit Gott reden kann.

Die Frau von Wolke sieben

Geheimnisvoll, wie ein einziger Satz alles veränderte, wie eine heitere Stimmung umschlug, als wir in unserer kleinen Runde in einer Bucht am Mittelmeer plötzlich auf die große Reise der Phantasie geschickt wurden.

Das alles geschah, weil einer unter den Freunden mit Blick in den Himmel sagte: «Ich wünschte, meine Mutter könnte von Wolke sieben runterschauen und sehen, wie glücklich ich jetzt bin.»

Und er begann zu erzählen: von seiner Mutter, die ihr ganzes Leben «nur» der Familie gewidmet hatte, die auf die Frage, was sie denn so beruflich mache, immer mit einem schüchternen Lächeln und sehr leise antwortete: «Ich bin leider nur Hausfrau.»

Dass diese «Nur-Hausfrau» fünf Kinder großgezogen hatte, dass die Witwe ihren früh verstorbenen Mann um elf Jahre überlebte, das alles erfuhren wir über die Frau von Wolke sieben auch noch. Und der Sohn erzählte es mit einem Gefühl von Stolz, denn er war lange ihr Sorgenkind gewesen.

Nach diesem Bekenntnis gab es kein Halten mehr. Jeder fühlte sich aufgefordert, ebenfalls Geschichten von Menschen zu erzählen, die nicht mehr unter uns sind und denen sie gerne die Zuneigung oder gar Liebe vergelten würden, die sie einst erfahren haben.

Da war die etwa sechzigjährige Frau, die alles dafür geben

würde, könnte sie noch einmal ihren Arzt sprechen, und sei es nur für ein paar Minuten. Denn ihm, und nur ihm, verdanke sie allein das alltägliche Glück mit ihrer einzigen Tochter: «Er hatte mir mit seinen einfühlsamen Worten Bedenkzeit von drei Tagen auferlegt, danach entschied ich mich dann Gott sei Dank gegen die Abtreibung, die mein Freund unbedingt wollte.»

Da war der ehemalige Angestellte einer kleinen Autowerkstatt, dem von seinem Chef wegen der schwierigen Auftragslage gekündigt worden war, und zwar rechtswirksam. Der Chef hatte dann aber doch schweren Herzens die Kündigung zurückgenommen. «Weil der gute Mann wusste, Arbeitslosigkeit wäre für einen wie mich der halbe Tod gewesen.»

Da meldete sich schließlich einer zu Wort, der mit seinem sehr viel älteren Bruder in einen zermürbenden Erbstreit geraten war. «Ein Hauen und Stechen bis vor die Schranken des Gerichts», wie er verbittert erzählte. Das Schlimmste seien die bösen hasserfüllten Worte gewesen. «Könnte ich meinen Bruder nur einmal Auge in Auge um Verzeihung bitten, das täte meinem Herzen gut.» Denn kein Streit sei den Verlust der Bruderliebe wert gewesen, schon gar nicht der schnöde Zank um den «Mammon», von dem die Steuer und die Anwälte sowieso die Hälfte kassiert hätten.

So ging es weiter mit den Geschichten, der Abend dunkelte hinüber in die Nacht, was so leicht begonnen hatte, wurde plötzlich schwer, aber auch irgendwie befreiend. Jedenfalls hörte ich noch beim Aufbruch zurück ins Hotel, wie eine Freundin sagte: «Das waren endlich mal nachdenkliche Stunden, nicht so ein Sangria-Abend mit viel Blabla.» Und ihr Mann antwortete und lachte dabei: «Ja, die Idee, dass irgendjemand von Wolke sieben mal kurz herunterkommt, ist einfach zu phantastisch, um sie zu vergessen. Wir sollten das Gedankenspiel in einem Jahr wiederholen.»

Ein Buch, das einem Sohn den Vater neu schenkte

Es ist ein schmales gelbes Buch, nein, es ist eher ein Büchlein, so unscheinbar, dass es in den Buchhandlungen meist in eine Ecke verbannt ist. Man muss in den Läden danach fragen, wo die lauten Bestseller immer ganz vorne nahe der Kasse stehen, aber die Reclam-Bücher sind nicht aktuell, und dieses Exemplar, das zwei Leben veränderte und einem Sohn den Vater neu schenkte, war es schon gar nicht.

Denn es trug den eher langweiligen Titel «Die Stunde null in der deutschen Literatur» und enthielt Texte aus jenen Jahren, als der Krieg im Sterben lag, als am 8. Mai 1945 endgültig die Waffen schwiegen und man sich darüber stritt: War dies nun die Kapitulation oder die Befreiung?

Der Sohn, so um die dreißig, nahm das Büchlein mit, wie man ein Schnäppchen mitnimmt, so im Vorübergehen, weil er sich dachte, da könne er von Böll über Benn bis zu Brecht in einem Schnellkurs nachholen, was er bisher versäumte: den Krieg, den er höchstens aus Guido Knopps filmischen «Blitzkriegen» im Fernsehen kannte, endlich einmal – und erstmals! – im Spiegel der Schriftsteller zu betrachten.

Der Sohn, um dies noch zu sagen, war seinem Vater, wie alle anderen Mitglieder in der großen Familie, in all den Jahren mit ebenso gespielter wie im Grunde doch ernst gemeinter Entrüstung immer wieder ins Wort gefallen, sobald dieser bei irgendwelchen Anlässen anfing, vom Krieg zu sprechen.

«Aber Vater, nun komm doch nicht schon wieder mit diesen ollen Kamellen ...» – so hieß es dann, mit der Folge, dass der Vater schließlich ganz aufgehört hatte, das selbst durchlittene Grauen in der Nähe des Todes auch nur noch mit einem Wort zu erwähnen.

Der Sohn bat nach der Lektüre, die ihn, wie man so sagt, bis ins Mark getroffen hatte, seinen Vater in einer ruhigen sonntäglichen Stunde nun doch, einmal ausführlich zu erzählen, «wie es damals war», als er aus dem Trommelfeuer eines Nachts in russische Gefangenschaft geriet und ein jahrelanges Martyrium hinter Stacheldraht durchlebte.

Und was soll ich sagen: Der Sohn, der die übertriebene Disziplin seines Vaters in der Firma nie verstanden hatte («du musst alles lockerer sehen»), der die pingelige Sparsamkeit und manchmal auch devote Bescheidenheit ebenfalls nie verstand und der auch des Vaters Demut gegenüber dem Schicksal nie gutgeheißen hatte, war nach einer Stunde des Zuhörens seinem Vater plötzlich so nah wie nie zuvor.

Die beiden Männer fielen sich sogar in die Arme, und als die Mutter plötzlich in der Tür stand und fragte: «Was ist denn mit euch los?», sagte der Vater nur leise: «Es ist nichts, wir haben nur ein bisschen länger als sonst miteinander geplaudert.»

In Wahrheit aber war viel mehr geschehen: Der Sohn hatte von seinem Vater erst jetzt das ganze Bild gewonnen. Vieles, was bisher ausgeblendet war («Das ist lange her, da wollen wir nicht dran rühren»), war nun sichtbar geworden. Weil der Sohn gefragt hatte und weil er zugehört hatte.

Und, ganz wichtig, weil der Vater nicht wie in früheren Zeiten seine Schilderungen mit Belehrungen oder gar Zurechtweisungen gespickt hatte – nach dem Motto: «Wenn du wüsstest, was wir damals alles durchgemacht haben.» – «Komm du erst mal in eine solche Situation.»

Möglich wurde dieses kleine Wunder der Verständigung im Familienkreis eines Freundes, der mir begeistert davon erzählte, durch das kleine Reclam-Heft. Da sieht man, was Literatur, wenn sie authentisch ist, um ein Modewort zu nehmen, alles bewirken kann.

«Man sollte überhaupt nur solche Bücher lesen, die einen beißen und stechen. Wenn das Buch, das wir lesen, uns nicht mit einem Faustschlag auf den Schädel weckt, wozu lesen wir dann das Buch?», fragte einst Franz Kafka, und das sollten auch wir uns öfter fragen, wenn wir zu einem Buch greifen.

Was wir für unser schnelles Leben bezahlen

Der Satz wurde vor Wochen gesprochen, er ist längst verweht. Der Alltag hat die Menschen eingeholt, die ihn damals in der Presse lesen konnten – oder ihn gar selbst hörten, als der älteste Sohn eines berühmten Volksschauspielers am offenen Grab seinen Vater um Verzeihung bat, als er Worte fand, in denen sich gebündelt wie in einem Laserstrahl wieder findet, was die Krankheit unserer Zeit ist.

Dieser Satz ist von einer geradezu schmerzenden Klarheit. Er lautet ganz schlicht: «Lieber Papa, verzeih uns bitte, dass wir deine Hilflosigkeit nicht wahrgenommen haben.»

Da steht also der älteste Sohn, erschüttert über den Selbstmord seines Vaters, den sich niemand, weder in der Familie noch im Freundeskreis, erklären konnte, und bekennt sich zu dem Gefühl der Reue und der Scham.

Dabei könnte dieser Satz täglich und abertausendmal gesprochen werden in unserer oberflächlichen Gesellschaft, welche die Gnade nur noch selten erlebt, die Saint-Exupéry so poetisch beschrieben hat: «Man sieht nur mit dem Herzen gut.»

Im Bekenntnis des Sohnes, das ich nicht vergessen habe, findet sich ein Wort, das ebenso schön wie altmodisch ist. Es lautet: Wahrnehmen.

Aber sind wir zum Wahrnehmen noch fähig, wir, die Kinder oder Geschöpfe des Medien-Zeitalters, überschüttet von Informationen und einer Bilderflut, die uns alle Schrecken dieser Erde vors Auge stellt, sodass wir, um uns zu schützen, auch die Fähigkeit des Nichtwahrnehmens, des Wegschauens, des Nicht-genau-Hinschauens trainieren?

Diese Fähigkeit, die Wirklichkeit auch auszublenden, bringt jene Kühle und Oberflächlichkeit in unsere so genannten «zwischenmenschlichen» Beziehungen, die wir alle beklagen, die wir selbst erleben.

Wer hört mir noch zu? Wer will wirklich wissen, wie es in mir aussieht? Selbst im Sprechzimmer der Ärzte gibt es Trost doch leider oft nur noch im Minutentakt.

Gewiss, da ist «Kommunikation» ohne Ende. Die Handy-Gesellschaft in der Unterwegs-Gesellschaft wird immer größer. Überall klingelt und bimmelt es. Der Austausch von Nachrichten funktioniert. Ich komme zehn Minuten später. Ich bin gerade gelandet, du kannst die Suppe schon aufsetzen. Leider muss ich den Termin morgen früh absagen.

Der Preis, den wir Oberflächen-Dynamiker für unser aufregendes, schnelles Leben bezahlen, heißt Gleichgültigkeit – nach Bernard Shaw die größte Sünde, die wir unseren Mitmenschen antun können, die «absolute Unmenschlichkeit».

Denn Kommunizieren ist ein Surrogat. Es erreicht nicht das Herz. Die Seele geht leer aus.

Nur das Gespräch, das intensive Gespräch, vermag dabei zu helfen, dass wir der Antwort ein Stück näher kommen, die die Bibel ganz knapp im Korintherbrief gestellt hat: «Welcher Mensch weiß, was im Menschen ist?»

Wir sind sehr arm, wenn wir keine Zeit finden, die Menschen um uns herum im besten Sinne des Wortes «wahrzunehmen».

Die Trauer ist der einzige Trost

Ich muss warten. Ich warte ungern. Ja, ich hasse Warten. Vor mir ein Mann im schwarzen Mantel, leicht gebeugt, so um die siebzig. Er redet mit dem Mann an der Kasse. Drei Minuten, vier Minuten. Ich muss warten. Nun redet er hinein in die fünfte Minute.

Ich möchte dazwischengehen, sagen, dass ich es eilig habe, Weihnachtseinkäufe, ich kann hier nicht meine Zeit vertrödeln, nervös sind wir alle, da kann man doch nicht so lange herumpalavern.

Ob der junge Mann mal zu mir herüberschaut, damit ich mich mit meiner Ungeduld bemerkbar machen kann? Vergebens. Er hört dem Mann im schwarzen Mantel zu, wie angesaugt.

Geheimnisvoll, warum ich mich nicht traue, ihm zuzurufen: «Sind Sie endlich fertig!?» Oder: «Wird man hier heute nochmal bedient?» Irgendwas Respektloses, das wäre fällig.

Aber ich stehe mit meinen Getränkekisten im Getränkegroßmarkt hilflos herum – und warte. Für Sekunden überlege ich, ob ich die Wasserflaschen einfach stehen lasse und verschwinde: «Es gibt ja schließlich noch andere Geschäfte.» Aber ich warte geduldig weiter.

Plötzlich legt der junge Mann an der Kasse seine rechte Hand auf die Schulter des Mannes im schwarzen Mantel, beugt sich vor, flüstert. Dann dreht sich der alte Mann um, und ich sehe sein Gesicht: So viel Verlorenheit im Blick habe ich seit Ewigkeiten bei keinem Menschen gesehen.

«Was war denn los?», frage ich später. «Der Herr, der da eben ging, hat vor vier Tagen seine Frau verloren. Sie starb aus heiterem Himmel, wenn man das bei diesem Wetter so sagen darf. Und denken Sie mal: Weihnachten steht vor der Tür … »

Pause.

«Wissen Sie, der Herr hat niemanden. Keinen Menschen. Die einzige Tochter, verheiratet in Amerika. Aber da kann er nicht hinfliegen. Thrombosegefahr, die Ärzte haben es ihm verboten.»

Pause.

«Sie müssen mich entschuldigen, aber in einer solchen Situation muss man doch ganz einfach nur zuhören. Das verstehen Sie doch?»

Pause.

«Ich finde es toll, dass Sie so ruhig gewartet haben. Aber was sollte ich machen? Der Mann wollte wissen, ob er sich überhaupt einen Baum für den Heiligabend kaufen soll. Es sei doch alles so sinnlos geworden, nach dem Tod seiner Frau. Ich habe ihm gesagt: ‹Kaufen.› Aber weiß ich, ob das richtig war?»

Pause.

«Man muss einen solch armen Mann in seiner Trauer doch aufbauen, Sie verstehen …» Ich antwortete, es gebe die alte Lebensweisheit, wonach die Trauer der Trauernden einziger Trost ist, diese Trauer dürfe man nicht stören, sie müsse auf dem Strom der Zeit dahingleiten wie eine Woge, bis sie irgendwann ans Ufer schlägt und verebbt.

Und ich dachte, während er die Preise in den Computer tippte: Seltsam, wie sich die Aura eines Menschen verändert, sobald er ein Schicksal trägt. Wie sich um ihn ein Kraftfeld aufbaut, in das wir nicht mit alltäglichen Banalitäten eindringen dürfen.

Und dass wir solches auch spüren, ohne dass es uns jemand sagt.

«Wissen Sie, was der Herr vor Ihnen am Schluss zu mir gesagt hat?» Der Mann an der Kasse lächelt nun, als sei ihm Glückliches widerfahren. «Er sagte, das Gespräch mit mir sei für ihn ein vorweggenommenes Weihnachten gewesen. So einfach kann es manchmal sein zu helfen. Das verstehen Sie doch? Und nochmals: Vielen Dank für Ihre Geduld.»

Gedanken für die Lebensreise

Sie haben es sicher schon einmal erlebt: Plötzlich fällt in einem Gespräch ein erstaunlicher Satz, ein Satz, in dem Wahrheit und Lebensklugheit auf wunderbare Weise verschmelzen. Und Sie tragen diesen Satz fortan in sich, fühlen sich bereichert und beschenkt.

«Die Hölle ist, wenn man niemanden hat, der einen liebt», – dies war so ein Satz, den mir Kardinal Meisner aus Köln mit auf den Weg gab. Oder Simon Wiesenthal in Wien: «Gott muss im Urlaub gewesen sein, als Auschwitz passierte.»

Typisch die Worte von Gerhard Schröder, damals noch Ministerpräsident in Hannover: «Ich warte nicht, bis ich gerufen werde, ich melde mich selbst zu Wort.»

Und die unvergessene Hannelore Kohl: «Es ist wunderbar, im Leben einen Sinn zu erkennen und dafür zu arbeiten.»

Der vom Schicksal arg gebeutelte Rainer Barzel hielt es mit Rilke: «Wer spricht vom Siegen? Überstehen ist alles.» Der weise Rat von Aenne Burda: «Wer sich zu wichtig nimmt, hat es im Leben schwer.» Und der sechsfache Oscar-Preisträger Arthur Cohn: «Wenn man aufhört zu träumen, hört man auf zu leben.»

Auch Liz Mohn ist in meiner Erinnerung: «Das Geschwafel – man müsste, man sollte, man könnte – hasse ich; was allein zählt, ist die Tat.» Und Norbert Blüm, damals geplagt vom Rentenstreit: «Die gerechte Ordnung gibt es erst im Himmel, was wir Politiker versuchen, ist eine Annäherung.» Und schließlich

Theo Waigel: «Was moralisch falsch ist, kann politisch nicht richtig sein.»

All diese kurzen, knappen Sätze – die Summe aus Lebensphilosophie und beinharter eigener Erfahrung – konnte ich als Beute aus vielen Gesprächen mitnehmen, die ich für diese Zeitung geführt habe.

Und an die ich jetzt wieder denken musste, als ich meine ersten Euro-Münzen bei der Bank holte. Denn es gibt noch einen unvergessenen Satz, er stammt von dem damaligen Bundestags-Vizepräsidenten Hans Klein, auch Johnny genannt, dem Mann mit der Fliege – und den blitzenden Augen, wenn ihm ein Bonmot gelang.

Auf meine, zugegeben sehr lieblose Frage, wie er sich fühle, der Kaste der Politiker anzugehören, die in der Rangfolge der gesellschaftlichen Anerkennung das Schlusslicht bildet, beugte er sich ganz dicht zu mir und stellte seinerseits eine Frage: «Dass es der Bundesrepublik Deutschland nach dem Krieg in all den Jahrzehnten so gut ging wie nie zuvor in der leidvollen Geschichte – das ist alles ohne die Politik und die Politiker geschehen? Meinen Sie das wirklich im Ernst, mein Freund?»

Seit ich diese beschwörenden Worte gleichsam wie einen Schatz in meinem Gedächtnis bewahrt habe, fällt es mir schwer, in allgemeine Politiker-Schelte einzustimmen. Und der blitzblanke Euro in den Händen von 300 Millionen Menschen, er ist nun einmal unbestritten in erster Linie das Werk von Politikern. Allerdings nur von solchen mit Visionen, denn, so schon der alte Adenauer: «Wir leben zwar alle unter dem gleichen Himmel, aber wir haben nicht alle den gleichen Horizont.»

Auch so ein Satz, der in den Gedanken-Koffer für unsere Lebensreise gehört.

Ein kluges Gespräch, das ist der Garten Eden

Er kam einmal wieder nach Berlin, der Mann, mit dem ich vor Jahren ein langes, aufregendes Gespräch hatte. Ein Gespräch, das die glatte Oberfläche verließ und in die Tiefe vorstieß. Ich liebe solche Gespräche, die leider so selten sind. Weil in unserer Nonstop-Gesellschaft die Kunst verloren gegangen ist, sich in andere Gedanken einzuschwingen, sie zu ergänzen, ihnen wenn nötig zu widersprechen, aber in ihnen dann doch das zu finden, was ich Lebensessenz nennen möchte.

Der Mann, an den ich zurückdenke, kommt aus Hollywood, nicht gerade ein Schauplatz für philosophische Exkursionen. Aber dieser Mann hat in seinem Schweizer Elternhaus etwas mitbekommen, was er «Wurzeln und Flügel» nennt: Wurzeln, das sind für ihn die Bindungen an seine großbürgerliche Familie in Basel, und Flügel – das sind die Schwingen, mit denen er sich aufmachte, die Welt für sich zu erobern, was ihm mit sechs Oscars auch total gelungen ist.

Die wichtigste Botschaft, die er mir in dem unvergessenen Gespräch schenkte, hieß: «Sie dürfen nie aufhören zu träumen, denn dann hören Sie auf zu leben.» Und dann: Freunde! «Geben Sie Acht auf Ihre Freunde! Ein Tag, an dem ich niemandem etwas gegeben habe, ist für mich ein verlorener Tag.»

Ob er mir ein Beispiel für einen solchen Freundschaftsdienst nennen möchte? Das Wort Dienst in meiner Frage sei schon falsch, sagte er, und dann erzählte mir der Filmproduzent Arthur Cohn die Geschichte, die er mit einer Freundin erlebte, die im fernen Boston plötzlich unters Messer musste. «Als ich davon hörte, flog ich von Zürich aus sofort in die USA, eilte an ihr Krankenbett, um ihr spontan zu zeigen, dass ich an sie denke.»

«Ein paar tausend Kilometer Flug, nur für einen Krankenbesuch?», fragte ich, eher ungläubig. Aber ja, man müsse immer seiner inneren Stimme folgen und wissen, dass es im Leben stets Licht und Schatten gibt, «dass nur der, der zuweilen in den Schatten gleitet, auch das Licht würdigen kann» – er sagte es mit leiser Stimme, und es klang poetisch.

Nun tragen die Flügel diesen Mann, so wie es ihm sein Vater gewünscht hat, nach Berlin ins Konzerthaus am Gendarmenmarkt, wo er den Fernsehpreis «Die Goldene Kamera» von «Hörzu» entgegennimmt. Der Titel der Zeitschrift, die ihn ehrt, wird ihm gefallen. Denn in seinem Pendelleben zwischen Amerika und Europa hat er eine Beobachtung gemacht, die ihn traurig stimmt: dass hierzulande die Fähigkeit des Zuhörens und die Mitfreude an dem anderen weitgehend verschwunden sind.

Ich berichte von diesem Gespräch, um Sie zu ermuntern, einmal für sich selbst der Frage nachzuspüren: Wer hat mich mit einem guten Gespräch bereichert, wem konnte ich in diesem Sinn ein guter Gesprächspartner sein? Denn das zeigt Ihnen die Spur, der Sie folgen sollten.

Das berühmte Wort von Oscar Wilde klingt zwar ganz flott: «Das ist die Kunst des Gesprächs: alles zu berühren und sich in nichts zu verlieren.» Es passt irgendwie sogar in unsere Zeit der Oberflächen-Dynamik – aber mir gefällt ein anderes Wort viel besser, das Wort eines Kalifen aus dem Orient: «Ein kluges Gespräch, das ist der Garten Eden.»

Eine Klarinette singt das Lied von Frieden und Liebe

Sie sind selten, aber es gibt sie: diese Abende, in denen sich plötzlich Verzauberung einstellt. Kein Gastgeber kann das planen, niemand kann das erzwingen, das kommt gleichsam aus heiterem Himmel, und immer ist es ein unverhofftes Geschenk.

Geht man dann nach Hause, ist man beglückt, weil die Seele berührt wurde und weil man einen oder zwei Gedanken mitnimmt, die noch lange nachschwingen, vielleicht sogar das eigene Leben in eine neue Richtung tragen.

Einen solchen Abend erlebte ich in Berlin, im «Lindenlife» unweit vom Brandenburger Tor, einer Stätte der Begegnung, halb Restaurant, halb «Kommunikationszentrum», passend in unsere Zeit der schnellen Information mit E-Mail, Internet, Online.

Man könnte denken: Undenkbar, dass ausgerechnet in diesem Ambiente ein Mann seine Klarinette auspackt und mit leisen Tönen, anfangs kaum vernehmbar, die zweihundert Gäste in seinen Bann schlägt.

Giora Feidman lässt die Töne sogar so leise daherkommen, dass man glauben möchte, sie kommen aus fernen Sphären – und vielleicht ist es ja auch so.

Denn dieser Sohn jüdischer Einwanderer, 1936 in Argentinien geboren, in Amerika und Israel wohnhaft, in Wahrheit aber durch seine Tourneen längst ein Weltbürger, wuchs in der jüdischen Tradition des Klezmer auf, hat mit Jazz, Soul und Klassik aber die musikalischen Grenzen längst überschritten.

Spätestens seit seiner wehmütig traurigen Musik, die er für Steven Spielbergs Film «Schindlers Liste» einspielte und die ihm einen Oscar einbrachte, haben Millionen Menschen diesen unverwechselbaren Klang seiner Klarinette gehört.

Giora Feidman war nach Berlin gekommen, um mit deutschen Freunden seinen 65. Geburtstag zu feiern. Und es war Justus Frantz, der in seiner Laudatio an einen Satz erinnerte, den Leonard Bernstein immer und immer wieder zu ihm gesagt habe und den er als Vermächtnis dieses Genies in seinem Herzen trage.

«Unser Leben wird daran gemessen», so «Lenni» zu Justus, «wie viele Brücken wir bauen können und wie viele trennende Grenzen wir überwinden.» Und genau dies sei ja auch die Philosophie, die Feidman mit seiner Musik verkörpere, dem Gedanken des Friedens und der Versöhnung verbunden. «Versuchen Sie mal, zu singen und gleichzeitig zu hassen – es geht nicht.»

Ja, es sind die wahrhaft magischen Momente, wenn man durch die Musik hindurch die spirituelle Botschaft spürt, die dieser Mann den Menschen nahe bringen will und die da lautet: «Wir kommen auf die Welt, um Frieden zu geben und in Liebe zu leben.»

Und das geschieht auf eine so zwingende Art, dass man sich dem Druck auf die Seele nicht entziehen kann, selbst knallharte Politiker sollen bei seinem Spiel zu Tränen gerührt worden sein. «Giora Feidman vermag mit seiner Klarinette selbst die Stille noch zum Klingen zu bringen» – besser kann man das Geheimnis nicht beschreiben.

Sicher sind es gerade auch diese leisen Töne, die uns in dieser atemlos gewordenen Welt zum Atmen kommen lassen, die uns erlauben, einmal in uns hineinzuhorchen und unsere Seelen zu befragen, ob wir auch Brücken zum Nächsten bauen.

Ein paar Stunden später, zur nächtlichen Stunde im Hotelzimmer, drehe ich das Radio auf, höre, dass in Jerusalem wieder ein Selbstmord-Attentat stattfand mit Toten und Verletzten. Und ich denke, dass das Dichterwort leider stimmt: «Nirgends kann das Leben so roh wirken wie konfrontiert mit edler Musik.»

Wie Albert Schweitzer einen guten Rat befolgte

Es tut der Seele gut, hin und wieder in Schriften zu lesen, die aus einer anderen Zeit stammen, die frei sind von der Hektik unserer Tage, die nichts Berechnendes haben – Schriften zudem, in denen sich gelebtes Schicksal wieder findet, in denen Perlen der Weisheit versteckt sind.

So fiel mir kürzlich der Text einer kurzen Ansprache in die Hände, die Albert Schweitzer an seinem 90. Geburtstag gehalten hat, wenige Monate vor seinem Tod im Herbst 1965. Darin geht es um den Dank für einen Ratschlag, den er als junger Mann von zwei Handwerkern erhalten hatte, als er sein Urwaldhospital plante.

Diese beiden Männer vom katholischen Missionsposten mahnten den jungen Albert Schweitzer, er dürfe das Hospital nicht über sechs Stockwerke wie die Regierungshospitäler in die Höhe bauen, es müsse einstöckig sein.

Zuerst begriff der junge Arzt nicht, was die beiden Afrikaner, «die eine genaue Vorstellung davon hatten, wie ein Krankenhaus im Urwald auszusehen hätte», mit dem simplen Rat meinten. «Aber ich habe ihnen gehorcht und bin ihnen gefolgt», bekannte Albert Schweitzer in seiner Dankesrede an seine Mitarbeiter.

«Niemand anders als diese beiden Männer, die schon lange auf dem Friedhof ruhen, hätte mir geben können, was diese beiden mir gegeben haben.» Und dabei handelte es sich doch «nur» um einen Ratschlag.

Man muss sich diese erstaunliche Szene vergegenwärtigen: Da steht ein weltberühmter Mann, ein Nobelpreisträger, der in einer Wellblechbaracke in Lambarene seinen Kampf gegen Krankheit und Tod begann, «weil die armen Schwarzen wirklich die Kinder der Schmerzen sind», gepeinigt von Lepra, Typhus, eiternden Wunden, Augenkrankheiten, und erinnert an zwei unbekannte Schwarze und ihren guten Rat. Und: Er spricht es aus!

Natürlich stellte ich mir nach dieser Lektüre sofort die Frage: Wie habe ich mich eigentlich gegenüber all den Ratschlägen verhalten, die ich in meinem Leben bekommen habe? Wie vieles wäre anders, vermutlich schwieriger und auch böser verlaufen, hätten mir gute Freunde nicht Wege gewiesen. Und plötzlich bin ich mir nicht mehr sicher, dass ich mich dafür ausreichend bedankt habe.

Ist man nicht geneigt, Ratschläge im Vorübergehen mitzunehmen, als kleine Münze zu behandeln? Kein Wunder also, dass die Spötter sich auf dem literarischen Parkett schon gemeldet haben.

So Thornton Wilder: «Ratschläge sind wie abgetragene Kleider, man benützt sie ungern, auch wenn sie passen.» Oder Oscar Wilde: «Einen guten Rat gebe ich immer weiter, es ist das Einzige, was man damit machen kann.»

Aber auch dann, wenn wir selbst um Ratschläge gebeten werden, gibt es Probleme. Da glauben wir, oft nach langen Überlegungen und schmerzhaften Diskussionen, einem Hilfe suchenden Menschen endlich den richtigen Pfad durch das Dickicht seiner Sorgen gezeigt zu haben – und was geschieht? Nichts von alldem, was wir ihm nach bestem Wissen und Gewissen anempfohlen hatten. Aber was regen wir uns auf?

Schon der berühmte Freiherr von Knigge schrieb 1788 in seine

Schrift «Über den Umgang mit Menschen» diese Beobachtung: «Die Menschen, wenn sie dich um Rat fragen, sind gewöhnlich schon entschlossen zu tun, was ihnen gefällt.»

Wir sehen: Es ist schwierig, wenn nicht gar unmöglich, gute Ratschläge für den Umgang mit Ratschlägen zu geben. Aber dafür zu danken, wenn uns ein guter Rat geholfen hat, das zumindest ist ein guter Rat, immerhin von keinem Geringeren als Albert Schweitzer.

«Du wolltest doch bei mir vorbeischauen»

Begonnen hatte alles an einem runden Geburtstag. Ein paar Jahre sind inzwischen ins Land gegangen, aber er erinnert sich noch genau an jenen Augenblick, da er ans Telefon gerufen wurde. Seine Mutter war am Apparat, sie wollte ihrem Sohn Glück wünschen. Und dann kam plötzlich der Satz, den er bis heute nicht wieder losgeworden ist – und der ihn niederzog in der Sekunde, da sie ihn ausgesprochen hatte.

Denn nach den allgemeinen Wünschen, die mit Erfolg und Gesundheit zu tun hatten, wechselte seine Mutter die Tonlage, und was sie nun sagte, war vorwurfsvoll und bitter: «Du wolltest doch bei mir vorbeischauen.»

Und dann, nach einer kurzen Pause, kamen die Worte, die er wie eine Drohung empfunden hatte: «Man weiß in meinem Alter doch nie, wie lange das noch möglich sein wird.»

Nun war er es, der nichts sagte, der eine Pause brauchte, weil er nicht wusste, wie er reagieren sollte. «Man weiß in meinem Alter doch nie …» Ihm klingen diese kühlen Worte noch heute im Ohr.

Was sollte er tun? Sich wehren gegen diese Anklagen, ob sie nun gerechtfertigt waren oder nicht, je nach Blickwinkel? Oder sollte er die Vorwürfe einfach ignorieren? Oder wäre es besser, der Mutter solch düstere Gedanken auszureden, so weit das bei der alten Dame möglich ist?

Er sagte nichts. Er wollte den Abend für sich retten, schließlich feiert man nicht jeden Tag seinen Fünfzigsten.

Seine Frau spürte, dass etwas vorgefallen war: «Was ist denn nur passiert?» Er musste erst nachdenken, wie er dieses Telefonat in sein Leben einzuordnen hat. Denn das war neu, dass es «Trouble mit Muttern» gab, wie er nur beschwichtigend zu seiner Frau sagte. «Das wird vorübergehen, Liebling.»

Aber da sollte er sich gründlich irren.

Von nun gab es immer häufiger diese Telefonate mit den offenen oder auch versteckten Vorwürfen, diesen Anspielungen, wann er sich denn mal wieder blicken ließe, wann der Herr Sohn geruhe, einmal einen Brief zu schreiben, warum er nicht wie andere Söhne mit seiner Mutter mal verreisen würde ...

Und als er eines Tages seinen Freunden von dem Druck erzählte, dem er ausgesetzt sei, diesem moralischen Druck, ohne sich irgendeiner Schuld bewusst zu sein, stellte er zu seinem Erstaunen fest: Er war nur einer unter vielen.

Sein bester Freund, ein Arzt, wusste unglaubliche Geschichten zu erzählen von Patienten, die unter solch gestörten Mutter-Kind-Beziehungen leiden, «bis hin zur Selbstmorddrohung». Das alles sei ein dunkles Kapitel, das spiele sich im Verborgenen ab – die Familienfassade muss schließlich glänzen.

Sein Rat? Er empfahl, dem Druck zu widerstehen. Wir sind, wie die Philosophen sagen, alle Mitglieder der großen «Sterbensgemeinschaft», da sei es unfair, jemanden mit einem Hinweis auf dieses unausweichliche Schicksal zu bedrängen und einzuschüchtern.

Und mit Liebe, mit Mutterliebe gar, habe das alles sowieso nichts zu tun. «Liebe ist alles, mit Sicherheit aber kein Tauschgeschäft.»

So trostreich diese Worte auch gemeint waren, der Sohn litt weiter. Und wenn ihn seine Frau ruft: «Komm bitte, deine Mutter ist am Apparat», dann schnürt sich sein Herz zusammen. Und dann fragt er sich schon: Ob Mutter eigentlich weiß, was sie da in Gang gesetzt hat?

Und plötzlich ruft die Stadt New York

Ich muss Ihnen von einer Stadt erzählen, die plötzlich zu mir gesprochen hat. Mit leiser, eindringlicher Stimme. Es klingt wie im Märchen, und doch ist es so gewesen.

Es geschah vor ein paar Tagen. Ich liege am Strand von Jupiter Island in Florida. Über mir arbeitet die Sonne zuverlässig wie ein Heizkraftwerk. Palmen wiegen sich im warmen Wind. Pelikane gleiten über den silberglänzenden Ozean. Der liebe Gott muss diesen Flecken Natur höchstpersönlich eingerichtet haben: so grandios schön.

Da meldet sich auf einmal diese innere Stimme: Schau doch mal vorbei.

Die Stimme klingt verführerisch, und ich erkenne sie sofort: Es ist New York. Du hörst den Namen, und die Sehnsucht ist da: Ja, da möchte ich jetzt sein. Und sei es nur für einen Tag. Einmal wieder in die spiegelnden Fassaden der Wolkenkratzer schauen, im Bilderbuch der Erinnerungen blättern. New York ist ein Zauberer, vielleicht der größte der Welt. «Kommst du also?», flüstert New York. «Ich weiß nicht», sage ich. «Ich bin noch schöner geworden und viel sicherer und aufregender als früher», flüstert New York weiter.

Zwei Tage später – beim Flug gen Norden, den Wolken, der Kälte entgegen, die der Weather Channel im Fernsehen schon gemeldet hat –, frage ich mich dann doch: Warum nur habe ich den goldgelben Jupiter-Strand verlassen, um in den Hexenkessel einer Stadt einzutauchen, die aus allen Nähten birst, zumal ich New York aus vielen Besuchen kenne? Was will ich in drei Tagen sehen, was ich nicht schon gesehen habe? Unruhiges Herz, was treibt dich? Sind Wiederholungen, wie Hermann Hesse schrieb, in Wahrheit nichts anderes als neue Lasuren auf einem scheinbar längst fertigen Gemälde, nur eine weitere durchsichtige Firnisschicht, die den Untergrund des schon bekannten Bildes durchscheinen lässt?

Hesse hat Recht, und ich habe es bei meinem Blitzbesuch einmal wieder buchstäblich erfahren: Es gibt wirklich dieses nie ermüdende Bedürfnis in uns Menschen, «sich des vom Gedächtnis Bewahrten zu versichern», wie der Dichter 1953 in seiner Schrift «Engadiner Erlebnisse» schrieb.

Oder, um es prosaisch auszudrücken: Als ich im gelben Taxi vor dem Plaza-Hotel vorfuhr, als ich am Central Park die Pferdedroschken sah, die wie eh und je auf Touristen warten, da wusste ich: Gleich wird mich New York umarmen wie immer, der alte Zauber stellt sich wieder ein. Ich hatte es insgeheim immer gewollt, die leise Stimme hat es mir nur verraten, es ist gut, ihr zuzuhören – und ihr zu folgen, wenn sie zu uns spricht.

Suche nach dem Regenbogen

Mein lieber Freund, ich schulde Ihnen nun doch eine Erklärung, weil ich die Tischrede nicht gehalten habe, um die mich Ihre liebe Frau gebeten hatte. Es sollten einige Worte über die Kunst, mit dem Älterwerden klug umzugehen, «nach dem Hauptgang und vor dem Dessert» gesprochen werden – wahrlich nicht zu viel verlangt beim 70. Geburtstag eines Mannes, der eine neue Hürde in ein neues Jahrzehnt nehmen muss.

Und Sie dürfen mir glauben: Ich hatte mich gut vorbereitet, wollte mich nicht mit ein paar Allgemeinplätzen aus dem Thema stehlen, um das ich bisher immer einen weiten Bogen gemacht habe – wer will schon etwas vom Alter und der Brüchigkeit des Lebens wissen, wenn er glaubt, «eigentlich» noch ganz passabel zu sein und immer noch mal auf die Überholspur wechseln zu können?

Gleichwohl las ich über viele Stunden – und seltsamerweise zunehmend voller Faszination – die einschlägigen Texte, sammelte für meine kleine Ansprache Zitate von Seneca bis Friedrich Nietzsche, blätterte in dem grausam-schönen Standardwerk von Simone de Beauvoir, in dem ich das trostlose Bekenntnis des Märchendichters Andersen fand, der sich eines Tages plötzlich fragte, warum er noch in den Garten zu den Rosen gehen soll – «Was haben sie mir noch zu sagen, was sie mir nicht schon gesagt hätten?».

Spätestens bei diesen Zeilen der puren Verzweiflung wollte ich das Studium der Philosophen zu diesem wohl sehr schwierigen Kapitel des Lebens beenden, als ich noch den unglaublichen Zettel fand, mit dem Hermann Hesse die vielen an seinem Haus in Montagnola vorbeiziehenden Wanderer bat, ihn mit ihrem Besuch zu verschonen:

«Wenn einer alt geworden ist und das Seine getan hat, bedarf er der Menschen nicht. Er kennt sie, er hat ihrer genug gesehen. Wessen er bedarf, ist Stille. An der Pforte seiner Behausung ziemt es sich, vorbeizugehen, als wäre sie Niemandes Wohnung.» Lieber Freund, Sie werden es mir nachfühlen, dass mich ein Frösteln überfiel, als ich diese Texte las, die mich in das geheimnisvolle Land des Alters entführten, das vermutlich aber nur jene verstehen, die in ihm leibhaftig selbst angekommen sind – keine freudige Erkenntnis für eine Tischrede zum 70. Geburtstag.

Mir war zumute, als hätte man eine schwarze Wand vor mir hochgezogen.

Angesichts dieser insgesamt doch eher niederschmetternden Lektüre versuchte ich sodann, wenigstens einige positive Gedanken zu finden, um doch noch eine optimistische Tischrede auszuarbeiten. Ich wollte den Regenbogen zu fassen kriegen, aber außer dem Rat «Fange nie an aufzuhören und höre nie auf anzufangen» kam ich nicht viel weiter.

Am besten gefiel mir noch der römische Kaiser Marc Aurel, der predigte: Du lebst nur den gegenwärtigen Moment! Die übrige Zeit ist in der Truhe der Vergangenheit begraben – oder sie liegt in der ungewissen Zukunft. «Es ist also nur eine winzige Spanne Zeit, die ein jeder lebt, winzig auch der Fleck der Erde, wo er lebt! So wirf denn alles ab und behalte nur diese wenigen Sätze!»

Mit dieser 2000 Jahre alten Botschaft wollte ich meine Anmerkungen zum Älterwerden eröffnen. Aber als ich dann an der festlichen Tafel saß, als die weinselige Stimmung zunahm, als der ganze Saal von Heiterkeit erfüllt war, als die Kellner schon mit dem Dessert bereitstanden, da verließ mich plötzlich der Mut.

Und ich kam zu dem Schluss: Gehe nicht mit dem schweren Gepäck der Philosophie in eine Gesellschaft, die fröhlich sein will und «gut drauf», wie es heute verlangt wird von allen, die «in» sein möchten – 70. Geburtstag hin oder her.

Kein Anschluss unter dieser Nummer

Gleich wird er sich melden. Ich habe sechs Ziffern gewählt. Ich fand die Nummer in meinem privaten Telefonbuch. Ich entdeckte sie zufällig. Es gab keinen Anlass, den alten Freund anzurufen, außer dem, dass es ihn gibt. Und dass wir sehr lange nicht miteinander telefoniert haben.

Und dass ich neugierig bin und mich gerne mal umschaue auf dieser Weltenbühne, wer da noch mit im Spiel ist. Und wie es den Mitspielern vergangener Tage ergehen mag.

Ich finde es phantastisch, mit dem Wählen von ein paar Ziffern, schnell eingetippt in den kleinen Apparat, in ein anderes Leben einzusteigen – ohne Voranmeldung, ohne reisen zu müssen, ohne jede Strapaze, einfach so: «Hallo, wie geht's, lange nichts voneinander gehört …»

Gleich also wird er sich melden. Wird er überrascht sein, meine Stimme zu hören, wird er vor Schreck gar den Hörer fallen lassen? Oder wird er ganz cool sein, vielleicht sogar im vorwurfsvollen Ton sagen: «Schön, dass du dich mal meldest, ich dachte schon, du vermutest mich in den ewigen Jagdgründen …»

Da ertönt, nach der letzten Ziffer, ein leises Knacken. Aha, denke ich, jetzt kommt der Anrufbeantworter. Dieses ebenso herrliche wie grausame Gerät: herrlich, weil man wenigstens eine Nachricht deponieren kann, grausam, weil der Anruf erst einmal ohne Echo bleibt, ein Gruß hinein ins Leere.

Dann aber, mit kurzer Verzögerung, meldet sich eine eiskalte

Stimme, die eigentlich keine menschliche Stimme ist, eher ein technischer Laut, und dieser Laut schiebt mir eine Botschaft ins Ohr: «Kein Anschluss unter dieser Nummer.»

Jetzt sind meine Gedanken wie Blitze in einem schwarzen Himmel. Was ist geschehen? Ist der Freund von gestern – genauer: von vorgestern, denn zu lange haben wir nicht mehr miteinander geredet – noch am Leben? Oder ist er nur umgezogen? In eine andere Stadt, vielleicht gar ins Ausland? Er träumte oft vom Aussteigen. «Mallorca, das hat was.» Ich habe diese Bemerkung von ihm noch in Erinnerung.

Wie auf einer brüchigen Schellackplatte kommt nun dieses unbarmherzige «Kein Anschluss unter dieser Nummer». Das klingt so endgültig. Da gibt es keinen Spielraum, höchstens für die Phantasie, die jäh aufflackert und sich das Schlimmste ausmalt – warum eigentlich?

Weil «Kein Anschluss …» nichts anderes bedeutet als: «Hier enden alle Wege.»

Ich meine, im Geheimen ein höhnisches Gelächter meines Freundes zu hören: «Ich war für dich ja doch nichts anderes als eine Nummer, sonst hättest du doch mal durchgerufen. Aber diese Nummer gibt es nicht mehr. Am besten ist, du löschst meine Nummer auch in deinem Büchlein, lieber Freund.»

Noch einmal wähle ich die sechs Ziffern, es könnte ja ein Irrtum gewesen sein – dann lege ich enttäuscht den Hörer zurück auf die Gabel, dieses Stakkato «Kein Anschluss …» noch im Ohr, diese fünf Wörter, gnadenlos aneinander gereiht.

Nichts Verbindliches ist zu hören, keine Information, etwa in dem Sinne: «Versuchen Sie es, bitte, unter einer anderen Nummer.» Oder: «Wir helfen Ihnen gerne weiter.» Oder: «Der Teilnehmer ist unbekannt verzogen.» Oder, und dies wäre dann das Schlimmste: «Der Inhaber ist verstorben.»

Nein, da ist nur schiere Ungewissheit. Ich suche jetzt die Nummer der Auskunft heraus, will nachforschen, ob der Freund noch in der Stadt ist.

Für Sekunden schwanke ich zwischen Hoffnung, ihn doch noch aufzuspüren, und der Befürchtung: Du hast die sechs Ziffern zu spät gewählt.

«Kein Anschluss unter dieser Nummer» – das klingt nicht nur so verdammt grausam. Es ist grausam. Es ist seelenlos. Es ist technisch. Es ist cool. Es ist so cool wie diese Zeit.

Ich hätte mich melden müssen – warum tat ich es nicht?

Liebe Freundin, es gibt Gedanken, die sind plötzlich da, sie lassen sich nicht abschütteln, sie drängen nach vorn wie der Gedanke, dir endlich schreiben zu müssen.

Und ich gestehe: Ich schreibe dir im Gefühl der Traurigkeit darüber, dass ich der Trauer nicht gerecht wurde, die ich empfand, als wir um dich waren, als wir auf dem Friedhof bei klirrender Kälte Abschied nahmen und der Wind die Worte verwehte, die am offenen Grab über deinen Mann gesprochen wurden.

Es gab dann dieses Defilee der Trauergäste, viele zogen wortlos an dir vorbei, weil in der Kirche schon alles gesagt worden war, was menschliche Stimmen im Angesicht der Majestät des Todes noch zu sagen vermögen.

Dann kam, ein paar Tage später, eine schwarz umrandete Karte, in der du dich für die Anteilnahme bedankt hast, und noch heute weiß ich, dass du auch die stummen Umarmungen in deinen Dank mit einbezogen hast, weil es nicht jedem Menschen gegeben war, den Schmerz der Trauer in Worte zu kleiden.

Wir haben uns später noch einmal getroffen, bei einem dieser halb offiziellen Empfänge, zu denen auch die Witwen eingeladen werden. Der Name des Mannes steht noch auf der Liste, da traut sich so schnell keiner, ihn durchzustreichen; und sicher hast du mit dir gekämpft: Soll ich kommen, soll ich absagen?

Meinen sie mich, wenn sie mich einladen, oder bin ich nur hier inmitten der vielen, weil mein Mann hier früher ein wichtiger Gast war, dessen Name anderntags immer in der Zeitung stand?

Es war bei diesem Empfang, dass ich dich fragte, ob der Schmerz der hochgepeitschten Trauer sich in langen Wellen langsam niederlegt. Und ich hörte von dir, dass die Trauer nicht kleiner würde, sondern größer, mächtiger, unheimlicher.

Unser kurzer Dialog wurde jäh unterbrochen, weil sich jemand dazwischendrängte. So versprach ich nur, mich bald zu melden. Und irgendwie fühlte ich mich erleichtert: Was hätte ich noch Tröstendes sagen können, umringt von Menschen mit Champagner-Gläsern in der Hand, umsummt von Partygesülze: ob St. Tropez in diesem Sommer angesagt ist oder doch besser die Hamptons vor New York, ob Chanel oder Valentino, ob die Aktien steigen oder sinken …

Auch dieser Empfang hätte in meiner Erinnerung gar keine Bedeutung mehr, wenn es nicht jenen fragenden, hilflosen Blick gegeben hätte, den ich bemerkte, als ich mich von dir trennte, ein Blick, der mir bedeutete: Ich hoffe, du meldest dich, wie du es jetzt versprochen hast.

Und nun beginnt die Strecke Weges, die ich im Gefühl überblicke, versagt zu haben. Ich hätte mich melden müssen! Telefonieren. Schreiben. Blumen schicken. Einen Spaziergang im Park vorschlagen, der sich in der Nähe des Friedhofs ausbreitet, wie geschaffen zu Gesprächen fernab vom Lärm der Stadt. Gespräche, die den Menschen mit einbeziehen, dem unsere Trauer gehörte an jenem kalten Wintertag.

Warum geschah nichts dergleichen? Wenn ich in mich hineinhorche: aus Angst? Aus Gleichgültigkeit? Aus Selbstschutz?

Zwei-, dreimal hatte ich schon den Telefonhörer in der Hand, aber dann kam dieser Gedanke: Das erste Mal allein mit dir ohne deinen Mann, das muss arrangiert werden, das geht nicht so nebenbei. Vielleicht ein Abend mit mehreren gemeinsamen Freunden. Dann der Versuch, sie alle auf einen Termin zu vereinen, ein kühnes Unterfangen in dieser Zeit, da kaum noch einer da ist, wo er eigentlich sein sollte.

Kurzum: Weil das Große nicht klappte, unterblieb das Kleine, das ganz Alltägliche. Indem ich dir schreibe, wird mir bewusst, wie falsch es war, nicht meiner Eingebung zu folgen, sich wenige Tage später «einfach nur so» zu melden, sondern etwas in Szene setzen zu wollen, was in deiner Situation fürs Erste ohnehin nicht auf der Wunschliste ganz oben steht. Verzeih mir also bitte, wenn ich dich nun morgen endlich anrufe.

Beglückende Beute in einer Sommernacht

Wir alle kennen diese Augenblicke, in denen wir plötzlich in eine Erinnerung versinken, keiner weiß, wer unsere Gedanken in diese unausgeloteten Tiefen lenkt; sie kommen ganz plötzlich und mit einer Macht, gegen die wir uns nicht wehren können.

Bei der jungen Frau muss es so gewesen sein, die zufällig neben mir stand und die in die fröhliche Runde der vielen Gäste schaute, die sie zur Sommerparty in den Garten ihres Hauses vor den Toren der Stadt eingeladen hatte.

Inmitten dieser flirrenden Stimmung und in einer jener seltenen Nächte hierzulande, die von südlicher Heiterkeit und Sinnlichkeit erfüllt waren, sagte sie plötzlich mit leiser Stimme und mehr zu sich selbst als zu mir: «Ich wünschte, mein Vater hätte diesen Abend erlebt.»

In diesem Moment war alles weit weg, obwohl es doch so nah bei ihr war: das Lachen der Frauen, das Stimmengewirr, das Wirbeln der Tänzer zu den Rhythmen einer Rocklady. Ja, ihr Vater hätte sich sicher gefreut, hätte er sehen können, wie seine Tochter hier steht, inmitten vieler Freunde in ihrem eigenen Haus, beruflich erfolgreich ganz oben «an der Spitze», wo er sein Püppchen sicher nicht vermutet hätte.

Die junge Frau erzählte mir dann den schönsten Teil ihrer Lebensgeschichte mit wenigen skizzenhaften Worten: die erlebte und unvergessene Liebe eines Vaters, an die sich die Tochter nun in einem jäh aufflammenden Gefühl der Dankbarkeit erinnert.

fuhr, dass sie ihren Vater schon vor vielen Jahren verlo-
it. Er sei viel zu früh gestorben für sein Alter. «Er war ein
Mann», sagte sie. Und sie würde viel darum geben, wenn sie nur einmal noch mit ihm sprechen könnte, ein paar Sätze nur, und wenn er mit eigenen Augen sehen könnte, was sie aus ihrem Leben gemacht hat. Diese zufällige Begegnung mit dieser jungen Frau in einem Augenblick, da sie aus dem Trubel des Festes und der Rolle als Gastgeberin ausgestiegen war, wird mir unvergessen bleiben. Denn es ist selten und wunderbar, wenn man Kindern, und seien es auch «große» Kinder, zuhören kann, die von ihren Eltern in Liebe sprechen. Und besonders schön ist es dann, wenn es um die magische Beziehung zwischen Vätern und Töchtern geht, die so oft in der Literatur beschrieben wurde.

Der Zufall wollte es, dass ich kurz darauf in den Schriften des Philosophen Wilhelm von Humboldt, Zeitgenosse von Goethe und Schiller, einen Satz las, den nur ein Mensch schreiben kann, der über die Menschen und ihre Psyche lange nachgedacht hat: «Die Vergangenheit und die Erinnerung haben eine unendliche Kraft», schreibt von Humboldt an seine Freundin, «und wenn auch schmerzliche Sehnsucht daraus quillt, sich ihnen hinzugeben, so liegt darin doch ein unaussprechlich süßer Genuss.»

Vielleicht erklärt dieser Gedanke diese geheimnisvolle Melange von Traurigkeit und Heiterkeit, die es nur selten gibt und die ich bei der Tochter zu beobachten glaubte, als sie von ihrem Vater sprach. Es stimmt nicht, dass es bei Party-Plaudereien nur das Tasten an der Oberfläche gibt. Manchmal kann es inmitten des Trubels plötzlich für einige Momente ganz leise sein und ganz schön zu Herzen gehen, und das ist dann die beglückende Beute, die man von einer solchen Nacht nach Hause trägt.

Was eine Visitenkarte über ihren Besitzer sagt

Visitenkarten sind auch nicht mehr das, was sie einmal waren. Wenn ich heute eine solche Karte in die Hand gedrückt bekomme, tauchen die Bilder meiner Kindheit in der Erinnerung auf, als ich im Haus meiner Großeltern in der Hanse- und Marzipanstadt Lübeck die sonntägliche Tortur durchleiden musste: «Zieh dich fein an, heute kommt wieder Besuch.»

Und dieser Besuch brachte Besuchskarten mit. Das Mädchen mit weißer Haube legte sie auf ein silbernes Tablett und trug sie mit einem leichten Hüftschwung in den Salon zu meinem Großvater, damit klar war, wer als Nächstes im Türrahmen erscheint.

Heute gibt es, Tempi passati, nur noch selten «Besuchskarten» auf silbernem Tablett, sondern Visitenkarten, die Schnellfeuerwaffen der modernen Kommunikation. Und der Name täuscht, wie so vieles heute. Denn mit Visite haben die Visitenkarten erst einmal nichts zu tun.

Wenn wir diese kleinen Dinger untereinander austauschen, dann wollen wir eigentlich nur eines ganz schnell signalisieren: «Ich freue mich, Sie kennen gelernt zu haben, lasst uns miteinander im Kontakt bleiben.»

Und diese schnelle Preisgabe der eigenen Identität mit Adresse plus Telefon- und Faxnummer, zusätzlich vielleicht auch noch Handy und E-Mail, hat oft etwas Anrührendes: weil sie der Spontaneität des Herzens entspringt.

Aber wehe, du rufst in den nächsten Tagen – «Versprochen ist versprochen» – wirklich an. Da erwartet dich schon der Anrufbeantworter und bittet dich, nach dem Piepton … Oder eine Sekretärin verspricht «zurückzurufen».

Visitenkarten sehen so verbindlich aus – «Wir bleiben in Verbindung» –, aber sind dann später doch von erschreckender Unverbindlichkeit.

Als ich jetzt beim großen Millennium-Aufräumen all die Karten hervorholte, die mir in den letzten Jahren zugesteckt wurden, erkannte ich die Wahrheit des Satzes: Namen sind nichts anderes als Schall und Rauch.

Was musste ich nicht alles aussortieren! Sogar drei Karten von Handwerkern, die trotz aller Beschwörungen, sie werden immer für mich Zeit haben, am Ende doch nicht kamen.

Trotz dieser eher negativen Bilanz: Ich liebe Visitenkarten, weil sie so viel über einen Menschen verraten: feine englische Schreibschrift? Versalien oder Kleindruck? Farbiges Papier in Lila oder Grün – oder gar in Gold?

Und dann der Name, das Wichtigste: Steht er schnörkellos da – oder mit allen Titeln bis hin zum Konsul oder Major a. D.: Der kleine Sigmund Freud in uns hat viel zu tun, will er Visitenkarten richtig lesen.

Interessant auch die Frage, was es eigentlich bedeutet, wenn jemand mehrere Adressen angibt, also nicht nur Lübeck, sondern auch noch Palm Beach, Cannes oder wenigstens Mallorca als Zweit-, Dritt- oder Viertwohnsitz.

Verräterisch für den Charakter auch der Augenblick der Übergabe. Die einen nesteln mühsam in ihren Taschen herum, die anderen ziehen die Karte prompt wie einen Joker, kaum dass sie dir gegenüberstehen.

Und dann die begleitenden Worte. Achten Sie darauf! Die einen sagen: «Bitte, unbedingt melden.» Die anderen eher zynisch: «Hier haben Sie meine Karte, aber Sie melden sich ja doch nicht …»

Genau betrachtet sind Visitenkarten wie wir Menschen: bescheiden oder aufdringlich, snobistisch oder zurückhaltend. Aber hinter jeder Karte verbirgt sich ein Schicksal. Zeige mir nur deine Visitenkarte, und ich sage dir schon, wer du bist, noch ehe ich dich genauer kennen lerne.

In der Trauer zeigen sich die wahren Freunde

Ein halbes Jahr haben wir uns nicht gesehen, seit wir am Grab ihres Mannes standen und ein kühler Frühlingswind die Psalmen des Pastors forttrug in eine unbestimmte Ferne.

Nun sitzen wir zusammen in der Halle eines Hotels, in dem sie, aus der Nachbarstadt kommend, abgestiegen ist, um auf dem Friedhof nach dem Rechten zu sehen.

Was mich erstaunt, ist ihre Blässe nach diesem großen Sommer, ihre Haut ist so durchsichtig wie in jenen Tagen, in denen sie bei ihrem Mann Tag und Nacht in der Klinik war, völlig erschöpft, dass ihre Kinder damals befürchteten, sie würde an dem Mitleiden zerbrechen.

Auch ihre Augen strahlen nicht so, wie ich es in Erinnerung hatte.

Ob es denn gar keinen Trost gegeben habe, frage ich sie nun doch. Oder ob es vermessen sei, nach einem solchen Verlust Trost zu erwarten, von wem auch immer.

«Wer sollte mich trösten?», fragt sie zurück. Der Pfarrer? Die Kinder? Die Freunde? Die Nachbarn, die damals alle zusammen einen Kranz schickten? Ja, wer von all den Menschen, die sich um sie sorgten in den dunklen Tagen, als wollten sie eine Mauer gegen den Schmerz der Trauer bilden, hätte sie trösten können?

«Jeder hat zu tun», sage ich. Weiß Gott, etwas Besseres fällt mir nicht ein. Wie findet man die richtigen Worte, wenn man mit einem solchen Schicksal konfrontiert wird?

«Ja, jeder hat zu tun», wiederholt sie leise, ein mattes Echo meiner hilflosen Worte. Es seien damals viele Briefe gekommen, tröstende Worte vor dem schweren Gang zum Friedhof, aber nichts hätte sie damals wirklich bewusst wahrgenommen. «Alles blieb schemenhaft.»

«Man soll einen Trauernden nicht zu trösten versuchen, solange noch ein Toter vor ihm liegt», heißt es im Talmud. Ein weises Wort?

«Ja, ein weises Wort. Du bist von einer Sekunde zur anderen so einsam wie nie zuvor. Aber so seltsam es klingt: Es ist dies eine Einsamkeit, die du brauchst. Alle Menschen, so nah sie dir auch sonst sein mögen, sind plötzlich ganz weit von dir entfernt.»

Doch irgendwann beginnt dann der lange Weg zurück in die Realität des Alltags, auch in seine Banalität. Wenn es um die Korrespondenz mit dem Finanzamt, mit Anwälten, streitenden Erben geht, hat dich die Welt in ihrer gnadenlosen Kühle ganz schnell wieder.

«Ich habe von diesem Sommer eigentlich nichts gehabt», sagt sie nun. Aber das sei nicht wichtig. Wichtig sei etwas anderes: die Erkenntnis, wer von den vielen Freunden sich meldet – und wer sich nicht meldet. «Da erlebst du die größten Überraschungen und leider auch Enttäuschungen. Gerade bei den vermeintlich guten Freunden. Das ist dann oft wie ein zweiter Todesfall.»

Ich sollte darüber mal in meiner Kolumne schreiben, rief sie mir hinterher, als sie schon von der Drehtür verschluckt wurde, der eine oder andere wird sich vielleicht in dem wieder erkennen, was sie mir soeben an Erfahrungen nach dem Verlust ihres Mannes erzählt hat …

Auf der Suche nach der verlorenen Zeit

Wohin wir auch schauen, mit wem wir auch sprechen, wir spüren es allüberall: Wir werden, ob wir es wollen oder nicht, zu Mitgliedern der neuen Immer-Erreichbarsein-Gesellschaft.

Als habe man uns eine Injektion verpasst, ist in uns ein Drang erwacht, mehr zu tun und zu erleben als nur eine einzige Sache. Autofahren allein beispielsweise genügt nicht, wir wollen dabei auch noch telefonieren, fernsehen, Computerweisungen entgegennehmen. Faxe in den Fond, das macht den wahren Chef. Joggen alleine rund um den Block, nur den eigenen Atem hören – wer will denn das? Ein bisschen Pavarotti oder Peter Maffay kann nicht schaden, erhöht vielleicht die Pulsfrequenz, gibt dem Sport mehr Kick.

Und dann der Laptop! Irgendwo am Südseestrand, oder auch nur in Westerland, und natürlich im Flugzeug, im Intercity. Die Arbeit wird zum ständigen Begleiter. Wer heute nicht über Stress und Zeitmangel klagen kann, zählt sowieso nur wenig. Urlaub mit Computer aber signalisiert: wichtig, wichtig. Auch das Handy ist unentbehrlich, wenn es gilt, mehr als eine Sache zu erledigen. Ob in der Lounge, im Restaurant, überall Geklingel und Gebimmel. Wie haben die Menschen früher überhaupt leben können?

Abgerundet wird das Szenario unserer Non-Stop-Gesellschaft mit Fast Food, mit der Dreiminuten-Terrine, mit der Fünfminuten-Predigt, wie sie von mancher Kanzel in den

Großstädten angeboten wird, auch Gottes Wort möglichst quick, quick.

Wir haben eine Zeit-Angst in uns, die inzwischen auch schon junge Menschen ergriffen hat. Und diese Angst besagt: Die Zeit zerbröselt unter unseren Händen. Selbst bei persönlichen Begegnungen hören wir schon viel zu oft: Ich mach's ganz kurz. Ich muss gleich wieder gehen. Ich schau nur schnell mal vorbei. Ich will dich auf keinen Fall aufhalten. Ich melde mich wieder.

Wir sehen, wir sind sensibler geworden, wenn es um Zeitgewinn oder Zeitverlust geht. Vielleicht nicht ganz so sensibel wie Marcel Proust, aber «Auf der Suche nach der verlorenen Zeit» – so könnte auch der Titel unserer eigenen Lebensgeschichte lauten.

Und weil wir gelernt haben, mit dem Rohstoff Zeit – der bekanntlich in der Summe unser Leben ausmacht – behutsamer und intelligenter umzugehen, nervt uns alles, was irgendwie und irgendwo mit «Zeitdiebstahl» zu tun hat.

Damit sind wir, ohne dass wir es wollen, bei den Bürokraten angekommen, die kraft ihres Amtes, und leider auch ihrer Macht, mit uns das Zeit-Monopoly spielen. Einem Dolmetscher in Hamburg, einem sprachbegabten Menschen also, verschlug es buchstäblich die Sprache, als er von den Behörden über vier Jahre hinweg schikaniert wurde, indem man ihm keinen Termin für die notwendige Prüfung als Übersetzer nannte. Aber ohne amtliches Papier, das wissen wir nur allzu gut, bist du ein Nichts, ein Niemand.

In seiner Verzweiflung wandte sich der Mann an das Gericht – und siehe da, die Richter in Karlsruhe entzündeten in der bürokratischen Finsternis ein Licht der Hoffnung: Wenn der Staat ein Diplom für die Berufsausübung verlangt, muss der Staat sich auch um ein zumutbares Prüfungsverfahren kümmern.

Vier Jahre Wartezeit – unmöglich, unzumutbar, so das Bundesverfassungsgericht. Das sagt uns zwar auch unser gesunder Menschenverstand, aber so ist es besser.

Ein Urteil also gegen den Hochmut der Ämter, aber auch gegen den Aberglauben, die Zeit arbeite für die Vernunft. Wir wissen, dass wir den Rohstoff Zeit nicht vermehren, noch verlängern können, wir packen deshalb in unser Leben hinein, was geht – und werden zunehmend zornig, wenn «Zeitdiebe» uns überfallen und betrügen.

Freunde fragen nach dem, was in uns vorgeht

Hatte ich nicht versprochen, ihn endlich zu besuchen? Hatte ich es nicht in meiner Kolumne vor ein paar Monaten auch geschrieben? Ein Telefonat nach Israel ist kein Telefonat wie jedes andere, so hieß der Text, in dem ich von meinem Freund Francis erzählte, den anzurufen ich immer wieder vergessen hatte, um es eines Tages dann doch zu tun – eine beglückende Erfahrung.

Denn der Zufall wollte es, dass ich an jenem Tag anrief, da der Staat Israel seinen 70. Geburtstag feierte. «Da tut ein Anruf aus Deutschland besonders gut», hatte Francis gesagt. Selbst in den Nuancen des Lebens noch entdeckte er die Spuren der alles durchdringenden Politik.

Zufall war es auch, dass ich nun für zehn Stunden in Israel sein konnte. Haifa war Station. Ich nahm mir einen Leihwagen Richtung Tel Aviv zu Francis. Er war, mit brüchiger Stimme, am Apparat, als ich ihn zuvor angerufen hatte: Ja, wir könnten uns treffen, um zwölf Uhr im Dan-Hotel an der Beach der Millionenstadt. Nein, seine Frau wäre nicht dabei, sie habe es mit dem Herzen. Leider.

Was nun geschah, bestätigte mir einmal mehr die Lebensweisheit, die wir dem Religionsphilosophen Martin Buber verdanken: «Alles wirkliche Leben ist Begegnung.» Und zwar die Begegnung von Mensch zu Mensch.

So beeindruckend es sein mag, den Felsendom im Tempelbezirk von Jerusalem zu sehen, die Via Dolorosa entlangzugehen, die

Grabeskirche zu betreten – es sind alles schließlich nur Mauern, Steine, Säulen, Skulpturen ohne den Schlag des Herzens.

Hier aber saß, in der Halle, kleiner geworden in all den Jahren, schmaler auch, wie es das Alter mit sich bringt, mein alter Freund Francis. Ich wollte ihn umarmen, er wehrte spontan ab: Trotz einer Erkältung sei er gekommen, «aber die müssen Sie ja nicht ausgerechnet von Israel nach Deutschland einschleppen».

Im Halbdunkel des klimatisierten Hotels erzählte Francis dann, dass er an einem neuen Buch schreibe «über die Großen dieser Welt», die er kennen lernte, und zwar «mit Computer», was mir die Schamesröte über das eigene Versagen ins Gesicht trieb: Immerhin war Francis schon weit über achtzig, als er sich mit dem technischen Apparat erfolgreich auseinander setzte, während mir die Bedienung eines Videorekorders immer noch schwer fällt.

Wie schnell verfliegt eine Freundesstunde! Ein paar private Informationen, ein Exkurs in den Irrgarten europäischer Politik, ein Blick durch hohe Hotelfenster auf den Strand von Tel Aviv, verbunden mit der Frage, wie es mit der Sicherheit des Staates bestellt sein mag. Und wie Francis als Einwohner der stets bedrohten Stadt mit dieser Belastung seelisch fertig wird.

Dann kam das Schwerste: der Abschied. Der Preis für unser Wiedersehen. Es ging ein paar Schritte hinaus in die Hitze des Herbsttages. In eine Hitze, die wir bei uns nicht mal im Sommer kennen. «Keine Umarmung», ich sollte ja keine Bazillen mitschleppen. Dann ein Winken und der schmerzhafte Gedanke, ob es je ein neues Treffen geben wird, bedenkt man die Entfernungen, die immer längeren Zeitabstände, die es zwischen unseren gegenseitigen Besuchen gab, all die Unwägbarkeiten des Lebens, den Terror, die Attentate.

Und noch ein Gedanke bedrückte mich: Habe ich Francis eigentlich aufgesucht, um ihm eine Freude zu machen? Oder wollte ich mein eigenes Gewissen beruhigen, das sich da immer wieder meldete: Man darf doch eine alte Freundschaft nicht so schleifen lassen …

Bei der Rückfahrt nach Haifa überwog dann doch das Glücksgefühl. Denn unser Gespräch hielt der Forderung stand, die Marie von Ebner-Eschenbach so wunderbar formulierte: Beim Wiedersehen nach einer Trennung fragen Bekannte nach dem, was mit uns, die Freunde aber nach dem, was in uns vorgegangen ist. Und das, genau das, haben Francis und ich getan.

Ein Bazillus auf den Terrassen des Südens

Es wird höchste Zeit, von einem Bazillus zu sprechen, der auf den Terrassen des Südens hockt und dort auf seine Opfer wartet.

Meist sind diese Opfer die sonnensüchtigen Urlauber aus den nördlichen Gefilden, die für kurze Zeit eintauchen möchten in die Leichtigkeit des Seins, um dann plötzlich mit einer Frage konfrontiert zu werden, an die sie zuvor nie gedacht haben: Warum bleibe ich nicht für immer hier, wo die Sonne ein Dauerabonnement hat?

Warum muss ich zurück in ein Land, in dem ein Thermometerstand von dreißig Grad sofort für eine Schlagzeile auf den ersten Seiten der Boulevard-Zeitungen gut ist, während es den Spaniern sicher spanisch vorkommen würde, wenn die Sonne auf der Titelseite erscheint, außer dass sie sich verfinstert?

Die Verwirrung beginnt wie so oft ganz harmlos. Gemütliches Zusammensitzen bei Paella und Sangria. Gitarrenklänge. Sterne, die am Himmel aufziehen. Die Hitze des Tages, die sich auflöst in dem Schwarz der Nacht.

Einer sagt plötzlich: Seit ich hier eine Wohnung habe, bin ich ein neuer Mensch. Ein anderer: Bescheuert, in Deutschland nur noch fürs Finanzamt zu arbeiten. Der Nächste: Ich habe schon lange meinen Lafontaine gemacht und alles hingeschmissen. Wieder ein anderer: Ich brauche nur ein Handy und meinen

Computer, und mein Laden läuft von hier aus ferngesteuert wie geschmiert.

Die brav Steuer zahlenden Urlauber aus Cloppenburg und Aschaffenburg und von sonst wo lauschen den Sirenenklängen der Lebenskünstler, die es geschafft haben, sich abzuseilen und rechtzeitig auszusteigen.

Wenn der Smalltalk auf der Terrasse des Ferienhotels dieses Stadium erreicht hat, ist der Augenblick gekommen, da der Bazillus zuschlägt, den ich den «Mallorca-Bazillus» nenne, weil es zwischen Palma und Port de Andraitx die meisten Begegnungen in Europa gibt zwischen denen, die ihr Glück noch suchen, und denen, die behaupten, es schon gefunden zu haben.

Nun wissen wir, dass ein Bazillus sich nur dann einnisten kann, wenn das Immunsystem ins Wanken geraten ist. Und seltsamerweise bricht es am ehesten dann zusammen, wenn wir in den Ferien sind. Denn wir haben uns längst bis zur Erschöpfung einem Götzen ergeben, den wir mit Sonnenschutzfaktor 60 im Gesicht anbeten, den wir umtanzen – den monumentalen, goldglänzenden Götzen namens Urlaub. Für diesen Götzen Urlaub nehmen wir in Kauf, was uns sonst niemand zumuten könnte: Übernachtungen auf Flughäfen, Streik des Hotelpersonals, Verspätungen, dazu Dürre und Hitze. Und wer will verleugnen, dass er nicht insgeheim bei TV-Reportagen aus den Urlaubshochburgen von dem Gefühl beschlichen wurde, etwas im Leben falsch zu machen, weil es doch anderen gelingt, die Grenzen zwischen Arbeit und Freizeit einzureißen?

Ja, der Mallorca-Bazillus ist tückisch, und wie im richtigen Leben, so wird auch hier am liebsten nur von denen berichtet, die es geschafft haben, von den Leuten «on the sunny side of the street». Denn von denen, die die Sonnensehnsuchtskrankheit überwunden haben und still und leise zurückgekehrt sind, spricht natürlich niemand. Weil zum Leben Träume gehören, erfüllte und unerfüllte, und Illusionen ohne Ende.

Gefällt wie vom Blitz aus heiterem Himmel

Wir hatten einige Informationen ausgetauscht, mein Freund und ich. Alles war nun gesagt. Ich wollte gerade den Hörer auf die Gabel legen, da stellte er mir plötzlich noch eine Frage: «Kennst du eigentlich R.?» Ich antwortete: «Ja, wenn auch nur flüchtig.» Da sagte er: «Dann wird dich vielleicht interessieren, dass R. tot ist. Gestern gestorben. Gefällt wie vom Blitz aus heiterem Himmel.»

Sofort war in mir ein Gefühl der Trauer, und ich sah R. vor mir, wie ich ihn zuletzt gesehen hatte: bei einem Italiener an einer großen Tafel, umgeben von Freunden.

Er war vom Süden gekommen, in seinem Gesicht die Spuren eines Lebens in einer Landschaft, wo sich Palmen im Wind wiegen, wo jeder Atemzug in seiner Villa am Meer pure Gesundheit ist.

Undenkbar, dass dieser vitale Mann nicht mehr lebt. R. war um die sechzig, kein Alter für einen Menschen wie ihn, der für sich lebensverlängernde Zauberkräfte aktivieren konnte: Sport mit einem Personal Trainer, Check-ups jedes halbe Jahr, eine glückliche Ehe obendrein und im Geschäftlichen eine leichte Hand, die, so schien es, fast spielerisch den Reichtum einsammelte, in dem er sich wohl fühlte.

«Aus heiterem Himmel», hatte mein Freund gesagt. Ich wunderte mich, dass so viel Trauer in mir entstehen konnte, da ich R. doch nur oberflächlich kannte. Die wenigen Sätze, die ich mit ihm vor Monaten gewechselt hatte, sollten ja erst der Beginn einer Bekanntschaft sein.

Aber dann, schon Sekunden später, schob sich ein zweites Gefühl in mein Bewusstsein: der Gedanke nämlich, ob meine Trauer um den Fremden eine wirkliche Trauer war? Oder ob ich es hier nicht vielmehr mit meinem Erschrecken darüber zu tun hatte, wieder einmal mit der Brüchigkeit des Lebens konfrontiert zu sein.

Schau her, sagte eine leise Stimme in mir, so schnell kann alles zu Ende gehen, so brutal kann man stürzen, «aus heiterem Himmel».

Ein Stolpern des Herzens, und du bist aus dem Rennen genommen, alles vermeintlich Wichtige wird im Nu so unwichtig wie nur irgendwas.

Herr R. hatte noch so viel vor, Geschäftliches und Privates, «Und spätestens zur Skisaison in Kitzbühel im Februar bin ich wieder bei euch», hatte er seinen Freunden versprochen. Der Mensch denkt, Gott lenkt.

Ich fand es nun nicht nur unheimlich, es beschämte mich auch, wie schnell sich meine Gedanken von R. abwandten und die Gefühle der Trauer beiseite schoben, als seien sie nichts.

Und wie sich plötzlich der Egoismus meldete, dieser kleine Teufel, indem sich andere Gedanken bei mir einschlichen, die nichts mehr mit R. zu tun hatten. Da ging es um meine Gesundheit, ob ich mich nicht endlich einmal wieder zum EKG bei meinem Arzt anmelden müsste, höchst banale Gedanken, zugegeben. Und unangemessen in diesem Augenblick, da ich die traurige Nachricht erhielt.

Ja, dieses brutale Nebeneinander von Trauer und Egozentrik machte mir zu schaffen.

Und auch die Zeilen, die Max Frisch in seinem «Tagebuch» notierte und die ich zufällig gerade gelesen hatte, änderten daran nichts, auch wenn sie die schmerzhafte Stelle in unserer Seele berühren.

Der Dichter nämlich schrieb: «Wenn wieder ein Bekannter gestorben ist: überrascht es Sie, wie selbstverständlich es ist, dass die anderen sterben? Und wenn nicht: haben Sie dann das Gefühl, dass er Ihnen etwas voraushat, oder fühlen Sie sich überlegen?»

Ich kann leider überhaupt nicht feilschen

Ich bitte um Vergebung: Ich kann nicht feilschen. Der Tag, an dem das Rabattgesetz fiel, war für mich der «schwarze Mittwoch». Meine Nerven lägen blank, wenn ich einem Verkäufer sagen müsste, ich würde seinen geforderten Preis nicht akzeptieren.

Immer noch denke ich an meine Niederlage, die ich ausgerechnet in Marrakesch einstecken musste, auf dem märchenhaften Platz, wo Schlangenbeschwörer und Wahrsager ihr buntes Treiben veranstalten.

Dort, genau dort, inmitten der orientalischen Basare, ließ ich mir einen Aschenbecher aufschwatzen, nicht irgendeinen, sondern einen mit dem eingravierten Motiv «Palmen vor dem Atlasgebirge». Ein Schmuckstück, wie ich fand, ein scheußliches Mitbringsel, sagte meine Frau.

Das Schlimmste aber war: Ich handelte nicht, ich zahlte bar! Ich blätterte die Dirham-Scheine nur so hin. Der Händler schickte mir aus glühenden Berberaugen einen spöttischen Blick: So einen Touristen-Trottel, so einen Vollzahler, den hatte er noch nicht erlebt.

Nun also verfolgt mich auch hierzulande die Frage: Soll ich feilschen oder nicht? Die Volkswirtschaft lasse ich mal beiseite, mich interessiert diesmal nicht der schnöde Mammon, sondern der seelische Aspekt der Angelegenheit. Und der ist für mich verheerend.

Die Seele, die beim Feilschen nicht mithalten kann, die gar Mitleid empfindet mit dem Verkäufer, die ins Vibrieren gerät, wenn man den geforderten Preis antasten will – diese Seele muss beim Feilschen leiden, ob sie will oder nicht.

Und sei es nur wegen des Argwohns, der ewig Dumme zu sein, der immer draufzahlt, während alle anderen ihre Schnäppchen nach Hause tragen. Denn was sind, was waren schon Rabatte? Gilt nicht, was schon unsere Vorväter wussten: «Rabatte, lass dir's sagen, werden vorher draufgeschlagen.»

Der Philosoph Jean-Jacques Rousseau, der uns predigte, dass der Mensch von Natur aus gut sei und nur durch die Kultur verdorben würde, schrieb einen Schlüsselsatz von andauernder Aktualität: «Der Friede der Seele besteht in der Verachtung all dessen, was ihn stören kann.» Und da sage ich: Mich stört, dass ich mich nicht einmal mehr an den Preisschildern festhalten kann, dass Preise plötzlich «variabel» sind, und das alles geschieht in einer Zeit, in der auch sonst alles variabel geworden ist, in der die alten Werte wertlos werden, wobei uns die Politik auch noch einreden will, das sei gut so.

Kaum hatte ich diese, zugegeben etwas verschwommenen Gedanken meiner Frau erzählt, bekam ich auch schon Feuer von vorn. Es sei doch fabelhaft, dass man dem «Diktat der Preise» nicht mehr ausgeliefert sei, ich müsse doch anerkennen, dass die neuen Spielregeln das Tor zu mehr Freiheit aufstoßen, und gerade bei den teuren Dingen bestünde die Hoffnung, dass sie etwas billiger werden, mit dem Kugelschreiber als Zugabe beim Kauf eines Autos sei es nun wohl nicht mehr getan.

Ich verstehe, ich verstehe, antwortete ich, wohl wissend, dass sie Recht hat. Aber was kann ich dafür, dass ich, siehe Marrakesch, kein Feilscher bin? Und was sind überhaupt «gültige Preise»?

In einer herrlichen Anekdote zu diesem Thema fragt ein Journalist eine herausfordernd schöne Schauspielerin: «Würden Sie sich einem Mann für eine Million Dollar hingeben?» Die Lady: «Ich glaube, ja.» Der Journalist darauf: «Würden Sie es auch für zehn Dollar tun?» Nun empört sich die Lady: «Für wen halten Sie mich denn?» – «Das habe ich soeben festgestellt. Reden wir jetzt nur noch über den Preis», sagt der Journalist – und trifft damit den Kern, worum sich alles bei uns Menschenkindern zu drehen scheint.

Silvester – die Nacht der großen Gefühle

Es ist nicht wahr, dass wir Partys, Geselligkeiten, Bälle, Feste, Weihnachtsfeiern «eigentlich» nicht mögen. Dass wir nur aus Pflichtgefühl hingehen. Dass wir am Eingang schon nach dem Ausgang suchen. Dass wir bei der Begrüßung des Gastgebers schon mit den Blumen die Entschuldigung für den frühen Aufbruch abladen. Dass wir «dies Gedränge» zutiefst hassen. Dass wir vom «Smalltalk» nichts halten und ihn eigentlich auch nicht beherrschen, weil wir doch, Deutsche, die wir sind, schwerfälliger als Franzosen und tiefgründiger als Engländer erscheinen.

Dass wir das alles nicht mögen, das kann mir keiner erzählen. Denn wohin man schaut in all den sonnenlosen Wintertagen, strahlt eine künstliche Sonne kerzenhell: die «Party-Sonne».

Zugegeben: Wir sind blass wie Pergamentpapier. Wir haben es mit dem Kreislauf. Der Dezemberstress frisst sich in die Nerven wie Rost in unsere Autos. Wir träumen schon wieder von der Nordseefrische, der Mittelmeerbräune. Wir stehen vor dem Spiegel und denken: Warum müssen wir unsere müden Gesichter gerade jetzt spazieren führen?

Aber ein Rundblick zeigt: Wir alle halten die Stellung an der Bar, auch wenn jeder die Uhrzeit an unseren müden Augen ablesen kann. Denn wir wollen doch, nicht wahr, das Leben genießen. Und leben heißt eben auch, in den Gesichtern der anderen zu erspähen, wie anderes Leben so läuft.

Es muss ein Urtrieb in uns sein: dieses Erforschen, was die

anderen machen und denken. Das Geheimnis, warum Partys nicht aus der Mode kommen werden: Sie ermöglichen, dass wir Schicksale erkennen, ohne dafür den Eintrittspreis zu bezahlen – die verbindliche Anteilnahme. Denn immer, wenn es problematisch wird, wenn uns jemand mit einer Nachricht zu sehr belastet, können wir ihm sagen: «Wir sehen uns später ...»

Nun erkennen wir schon: Partys sind kein Mittel gegen Einsamkeit, nur eines gegen Alleinsein. Hier muss man aufpassen, hier darf es keine Verwechslung geben.

In einem Stück des Dramatikers Eugene Ionesco gibt es ein altes Ehepaar, das sich abmüht, seine Vergangenheit noch einmal zu beschwören.

Die alten Leute geben einen Empfang, zu dem niemand kommt, sie begrüßen Gäste, die nicht zu sehen sind, die Bühne füllt sich mit leeren Stühlen. Die Erinnerung täuschte, die glanzvollen Feste hat es nie gegeben.

«Und wenn die Eheleute schließlich aus dem Fenster springen», so deutete die Schriftstellerin Simone de Beauvoir das Stück, «dann deshalb, weil ihr Leben, indem es jeden Sinn verliert, ihnen enthüllt, dass es nie einen Sinn gehabt hat.»

Stellen wir also Stühle hin und Gläser bereit, solange die Leute kommen. Kommen wir selber. Tauchen wir unter in Fröhlichkeit, Musik und «Smalltalk». Nehmen wir die Gesprächsfetzen als Morsezeichen anderer Schicksale, und machen wir uns im Geheimen unseren Vers darauf. Denn es gibt etwas, das noch schöner ist als jede Party: das Fazit nach einer Party – wer mit wem, warum, weshalb, wieso ...

Und wenn Silvester die letzte Party des Jahres steigt, so ist sie zugleich auch die erste des neuen Jahres. Dieser Doppel-Effekt macht Silvester so schwierig, weil sich in dieser einen Nacht all die großen Gefühle ein Stelldichein geben: die Angst vor der ungewissen Zukunft, die Hoffnung, die die Angst überdeckt, die Erinnerung an ein Stück gelebtes Leben, die Sehnsucht nach Liebe, ohne die alles sinnlos ist.

Hamburg – oder: der schöne Rausch der Nüchternheit

Was bleibt, wenn man, nach drei Jahrzehnten in Hamburg, beschließt, südwärts zu ziehen, der Sonne entgegen, dem Schmuddelwetter entfliehend? Ich habe es erfahren und erlebt: Es bleibt eine grenzenlose Sehnsucht nach der Weite des Himmels über dieser stolzen schönen Stadt, mag er für meinen Geschmack auch zu oft mit Wolken verhangen sein.

Und es bleibt die Sehnsucht nach der Außen- und Binnenalster, dem Juwel, das dieser Stadt, neben Elbe und Hafen, den unverwechselbaren Reiz gibt.

Wenn man im Dunkeln ankäme und im Taxi stadteinwärts führe, man würde sofort durchs Fenster die Alsterluft atmen, die dir verrät: Du bist in der Stadtmitte angekommen.

Diese Alster ist eine Perle, die – und das ist das Schöne an ihr – um ihre Schönheit weiß, ohne arrogant zu wirken. Wenn dich Probleme zu erdrücken scheinen, gibt es ein gutes Rezept: einmal um die Außenalster rennen, walken oder schlendern, an «Bobby Reich» vorbei, vor der weißen Fassade des Atlantik-Hotels ins Träumen geraten, an dem «Weißen Haus» vorbei, dem zuweilen stark bewachten amerikanischen Konsulat, und einmal darüber nachdenken, wie traurig es ist, dass wir die diplomatische Vertretung unseres befreundeten Amerika so martialisch schützen müssen.

Nach wenigen Minuten Lauf schon ist dein Kopf wieder frei, die Gedanken fliegen wie die Möwen, die deine Blicke dorthin reißen, wo die Weite grenzenlos ist – hinauf in den mattblauen Himmel des Nordens.

Am schönsten ist es frühmorgens, wenn Hamburg sich aus dem Schlaf erhebt. Der Tau des frühen Tages, der Wind, der sanft die Weiden biegt, die unglaubliche Stille, die es in einer Millionenstadt so eigentlich nicht gibt, vereinen sich plötzlich zu einem Genuss, dass du stehen bleibst, tief durchatmest und spürst: Dies ist der schöne Rausch der Nüchternheit, den ich dem St.-Pauli-Rausch meiner frühen Jahre immer vorgezogen habe, auch wenn die Hamburger Nächte bekanntlich lang, unbeschwert und fröhlich sind.

Und eines war nach der morgendlichen Runde auch immer klar: Der Tag konnte an Problemen bringen, was er wollte, der Ärger im Büro noch so groß sein – ich hatte bereits mit der Weite, der Natur und der Schönheit ein Glück eingeatmet, das mir keiner mehr nehmen konnte.

Es ist eine den Menschen verändernde, positiv wirkende Kraft, die von diesem Kleinod ausgeht. Da es kaum einen Hamburger gibt, der seine Stadt nicht liebt, beobachten wir eine wunderbare Wechselbeziehung: Diese große liberale freiheitliche Stadt macht es – allen anders lautenden Behauptungen zum Trotz – den Menschen leicht, sich in ihr wohl zu fühlen.

Es ist nicht nur ein gutes Gefühl, eine Stadt zu lieben (soweit man eine Stadt überhaupt lieben kann). Es ist noch viel schöner zu spüren, dass die Stadt dich annimmt, dass ihre kosmopolitischen Bürger dich gerne umarmen.

Vielleicht wurde diese Alster-Perle Hamburg zum Trost dafür geschenkt, dass ihr etwas von der südlichen Leichtigkeit des Seins fehlt, obwohl die vielen Cafés mit den Stühlen im Freien und die vielen Cabrios schon eine leichte Besserung in Richtung Dolcefarniente anzeigen.

«Hamburg ist so eigentümlich, dass man es mit zwei Strichen zeichnen kann», schrieb nach einem Besuch am 28. Januar 1826 der Dichterfürst Goethe an den Hamburger Schriftsteller und Lehrer Oskar Wolff. Wenn Goethe Recht hat, dann müsste einer von den beiden Strichen die Alster sein, schon um diesem Geschenk der Natur Gerechtigkeit widerfahren zu lassen. Und was wäre der andere Strich? Man darf raten. Vielleicht der weite Horizont zum weiten Himmel?

Gegen Grippe Whisky trinken – bis man zwei Hüte sieht

Ich muss zugeben: Ich habe mich total geirrt. Ich hatte gedacht, mein Immunsystem, von dem heute in allen Publikationen so viel zu lesen ist, in Höchstform gebracht zu haben: winterfest, grippefest, faschingsfest, in jeder Beziehung undurchlässig für jedweden Angreifer, ob Virus oder Bazillus.

Mein persönliches Programm der totalen Immunisierung kannte keine Gnade. Schon frühmorgens zündete ich die ersten hoch dosierten Vitaminbomben. Dazu gab es jede Menge Zink, Selen, Beta-Carotin, Spurenelemente aller Art. Hinzu kamen pflanzliche Säfte und Pillen, Mistel und Eukalyptus und auch, zur Abrundung der Prophylaxe, orientalisches und fernöstliches Wunderzeug.

Auch vor Ginseng und Ginkgo biloba machte ich nicht Halt, jede Baumrinde hatte bei mir eine Chance, sodass schließlich ein ganzes Pharma-Symphonieorchester in meinem wintermüden Körper nur eine einzige Melodie spielte, und diese hieß: nie, nie wieder Grippe!

Und dann? Dann kam sie doch. Irgendwo in der hochgerüsteten Zitadelle muss ein Loch gewesen sein, konnte der Bazillus eindringen. Aber wo geschah es? Im eiskalten Taxi am Flughafen? Hockte der Bazillus in der zugigen Hotelhalle? Hatte mir die Kassiererin im Supermarkt ein Stück von ihrem bellenden Husten mit eingepackt?

Mit 39,6 Grad Fieber sackte ich, trotz dieser hohen Temperatur schlotternd vor Kälte, in die Kissen, die Grippe, von der ich meinte, dass sie mir in dieser Saison etwas husten könne, hatte mich voll erwischt.

In den folgenden Tagen beschloss ich, von der kostenlosen Apothekerzeitung einmal umzusteigen in tiefgründigere Lektüre, um bei den großen Denkern Erleuchtung in der Dunkelheit meiner vergrippten Tage zu finden.

Als Erstes entdeckte ich in den Fragmenten von Novalis die sibyllinische Formel: «Das Wesen der Krankheit ist so dunkel wie das Wesen des Lebens», was mir zwar sofort einleuchtete und auch meiner miserablen Stimmung entsprach, aber keinerlei Trost bot, den ich so nötig brauchte wie den Hustentee, den mir meine Frau alle Stunde liebevoll ans Krankenlager reicht.

Da war ich bei Altmeister Goethe besser dran, berichtet der Dichterfürst doch am 7. April 1829 von einem Erlebnis, das die wohl entscheidende Frage nach der geistigen Widerstandskraft stellt: »Ich kann aus meinem eigenen Leben ein Faktum erzählen», so Goethe zu Eckermann, «wo ich bei einem Faulfieber der Ansteckung unvermeidlich ausgesetzt war und wo ich bloß durch einen entschiedenen Willen die Krankheit von mir abwehrte.»

Ich muss sagen: Respekt, Herr Geheimrat, wie Sie ein Problem lösen, das so viel schlimmer klingt als Grippe: Faulfieber – und nix da mit Antibiotika. Nur die Kraft der Gedanken als einzige Waffe.

Aber bei allem Respekt vor den gewaltigen Denkern kann ich mich doch nicht mit all ihren Methoden anfreunden, vor allem nicht mit jener, die der griechische Geschichtsschreiber Plutarch hinterlassen hat.

Dieser Mann berichtet, wie sich der große Cäsar gegen Kränklichkeit verteidigte: «Einfache Lebensweise, ungeheure Märsche, ununterbrochener Aufenthalt im Freien, Strapazen aller Art.»

Meine Lektüre der Weisheiten weiser Menschen zum Thema Krankheiten zeigte mir in der Summe, dass viele Wege nach Rom führen – und zurück. Das Rezept vom Leibarzt der Königin Victoria, das todsicher Linderung bei Grippe bringen soll, sei am Schluss nicht verschwiegen, auch wenn es nicht zur Nachahmung empfohlen wird: «Man lege sich ins Bett, hänge seinen Hut ans Fußende und trinke so viel Whisky, bis man zwei Hüte sieht.»

Vergebliche Beschwörung eines «anderen Lebens»

Nun saß er vor mir, wir hatten uns lange Zeit nicht gesehen, irgendwie trieb ihn jenes Gefühl zu mir, das wir alle immer wieder in uns selbst verspüren: in die alten bekannten Gesichter hineinzuschauen, um festzustellen, wie «das andere Leben» verlaufen ist.

Wir hatten vor vielen Jahren zusammen gearbeitet, tagtäglich, uns dann – durch einen Ortswechsel – aus den Augen verloren. Und nun also hatte er sich gemeldet, um einmal guten Tag zu sagen, mehr nicht, beileibe nicht mehr!

Während er sich setzte, rechnete ich ein paar Daten zusammen und kam darauf, dass er etwa um die sechzig sein musste, so genau konnte ich es nicht ermitteln.

Ich wusste auch nicht mehr, ob wir schon beim vertraulichen Du gewesen waren, also wartete ich ab. Es stellte sich heraus: Wir hatten damals wirklich jenes Du gefunden, das sich im Büro so schnell in die Gespräche einschleicht.

Und dann erzählte er mir, wie es ihm in den letzten Jahren ergangen sei. Arbeitsplatzwechsel. Die Enttäuschung bei der Suche nach einem neuen Job, als all die Freunde plötzlich gar keine Freunde waren. Keine Hilfe.

Nur auf seine Frau habe er sich verlassen können. Die Kinder? Auf und davon. Manchmal kommt eine Postkarte, aus Mallorca oder so. «Man fragt sich, warum man sie eigentlich mit so viel Mühe großgezogen hat.» Bitterkeit für einen Wimpernschlag.

«All die vielen Abende, die man zu Hause geblieben ist, um die Kinder nicht allein zu lassen.» Er sagte dies mit einer Geste, die Verkäufer auf dem Jahrmarkt zeigen, wenn sie den Preis besonders drastisch nachlassen.

Kein Blick in ein Bilderbuch des Lebens, gewiss nicht. Vielmehr ein Rechenbuch mit schwierigen Aufgaben.

Und nun saß er hier vor mir und suchte im Gespräch die Jahre zu beschwören, in denen wir beide auf dem Weg nach oben waren. «Das waren noch Zeiten.» Er lachte, als er von einer gelungenen Intrige erzählte, die ich längst vergessen – und damals nicht durchschaut hatte.

Nebenbei erfuhr ich, dass er immer noch die alljährlichen Wiedersehensfeiern seiner Abiturklasse organisierte – Höhepunkte seines Lebens, das längst nur noch in der Kunst besteht, die Bilder der Vergangenheit in die Gegenwart zu holen, um den Glanz, den er heute rundum nicht zu finden vermag, wenigstens durch den Abglanz der Erinnerung zu ersetzen. Aber auch diese Stunden halten den Fluss der Zeit nicht auf, «die Jahre eilen dahin, es ist beängstigend».

Wir sind, da unser Gespräch in meinem Büro stattfand, schon zweimal durch das Telefon gestört worden, beim dritten Mal hatte er plötzlich das Gefühl, dass nun alles gesagt sei. Wenn ich es recht bedenke, wenn es auch grausam klingt: Dieses Gefühl stimmte!

Seltsam, wie sich ein lang gelebtes Leben manchmal auf dem Gesprächsteppich einer halben Stunde unterbringen lässt. Wie schnell alles Wichtige schon gesagt ist.

Im Pendelschlag – «Weißt du noch, damals …?» und «Wir müssen uns einmal wieder sehen» – zerrinnt die Gegenwart, nichts bleibt als die Momentaufnahme eines Menschen, der irgendwann ganz leise in das eigene Leben eintrat und ebenso leise wieder hinaustrat.

Der Besucher ging. Den langen Korridor entlang. Ich schaute ihm nach. Er kam mir kleiner vor, als ich ihn in Erinnerung hatte. Nicht so lustig wie damals. Dafür ehrlicher. Nicht so gewandt und gelackt.

Es ist immer die gleiche Geschichte mit den Geschichten von gestern: Man möchte sie im Gespräch noch einmal herbeiholen, aber sie kommen nur als abstrakte Bilder.

Die Wärme fehlt, die Dramatik, die Fröhlichkeit, vor allem: die Ungewissheit jener Stunden und Tage, die man teilte, während man der Zukunft entgegeneilte. Vergilbt, verweht, dahin. Schade, dass die Beschwörung fast nie gelingt!

Verwundbarkeit gibt es auch im vermeintlichen Paradies

Es gibt Momente, in denen man glaubt zu träumen. In denen man seine Augen reibt und sich fragt: Ist das, was ich hier sehe, wirklich unsere Welt? Es sind dies erstaunliche Momente, und sie werden einem zumeist auf Reisen geschenkt.

Ich erlebte einen solchen Augenblick in Miami, genauer: im «News Café», dem Treffpunkt im Artdeco-Viertel an der Beach, an einer der verrücktesten Meilen Amerikas.

Denn hier ist etwas zu sehen, was es so pur nur selten zu besichtigen gibt: den total entfesselten Menschen des neuen Jahrtausends. In allen Größen, in allen Hautfarben, die meisten drei viertel nackt, halb nackt, die Mädchen, langbeinige Models, manchmal auch schon fast ganz nackt.

Diese Menschen rollern und skaten und radeln und rennen. Sie sind immer in Bewegung, sie sind gnadenlos in ihren modischen Zumutungen an andere, sie sind beneidenswert vital, und in ihren Augen blitzt es: Schaut her, ich habe mich von allem gelöst, kein Chef wird mich je in ein Büro einsperren können, dem ganzen zivilisatorischen Klimbim habe ich abgeschworen – nur der Walkman, der meine Ohren zudröhnt, den habe ich in meine eigene kleine Welt der Selbstverwirklichung hinübergerettet.

Es sind nicht nur die Jungen unterwegs, auch Ältere mischen kräftig mit, sie fühlen sich wohl im «Vorzimmer Gottes», wie man das Rentnerparadies im Sunshine-State Florida gerne nennt. Sie möchten alle dem Tod noch ein Schnippchen schlagen – der endlos blaue Himmel dort oben soll noch etwas warten.

Und plötzlich ist die Frage da, die mich immer überfällt, sobald ich an sonnenverwöhnte Orte komme: Pulst nicht hier das wahre Leben? Sind all die Menschen hier nicht klüger als ich, deutscher Reisender mit einem Rückflugticket in der Tasche?

Ja, warum muss ich zurück in ein Land, das sich selbstquälerisch fragt, ob man als sein Bürger stolz sein darf, muss, kann? Undenkbar, dass nur einer der vielen Tausend, die hier an mir vorbeihasten, auch nur den Bruchteil solcher Überlegungen hat. Sie sind vielmehr alle voll damit beschäftigt, das «Carpe diem», das «Nutze den Tag», wirklich zu leben, das wir oft nur in schlauen Büchern der Lebenskunst, der Fitness und Wellness studieren.

Ein paar Schritte weiter dann der Kontrast: Menschen drängen sich am Portal einer umschatteten Villa, starren in den Tropengarten, recken die Arme in die Höhe, bilden Gruppen – und lassen sich fotografieren. So ein Foto muss man ganz einfach mitnehmen aus dieser irrwitzigen Straße! Denn hier, genau hier, wurde an einem Julimorgen der berühmte Modezar Gianni Versace von einem Serienkiller ermordet.

Wir wissen, dass Versace von einem unstillbaren Verlangen nach Schönheit und Luxus getrieben wurde. Ein Verlangen, von dem seine Freunde berichten, dass es niemals erloschen wäre, auch wenn ihr Götterliebling tausend Jahre hätte leben dürfen …

Und dann dieser Tod! So makaber wie kaum ein anderer, dieses unvorstellbare Sterben gerade hier, mitten in dieser vibrierenden Lebendigkeit, wo man an alles Mögliche denkt, nur nicht an alltägliche Mühsal, an Krankheit oder gar die Brüchigkeit allen Lebens.

So ragt dieser Palazzo am Ocean Drive 1116, vor dem der Besitzer des Stein gewordenen Traums verblutete, wie ein Mahnmal in den Himmel. Er lässt die Touristen, die eben noch glaubten, im Paradies gelandet zu sein, hoffentlich für eine hundertstel Fotosekunde innehalten.

Und zeigt ihnen, dass es Verwundbarkeit auch im vermeintlichen Paradies gibt. Und dass auch Palmen nicht in den Himmel wachsen.

Der schmale Grat zwischen Wahrheit und Lüge

Er hatte mich gewarnt. Am Telefon schon hatte er mich gewarnt. «Bekomme keinen Schreck, wenn du mich siehst», hatte er gesagt. Und als er mir die Tür öffnete, hörte ich noch einmal: «Erschrick nicht, ich habe einen Ruck nach unten gemacht.»

Ja, er sah erbärmlich aus. «Das Alter ist eben nicht aufzuhalten», flüsterte er mir zu. «Aber es kommt nicht langsam, wie ich bisher dachte. Es kommt mit Macht. Und das Schlimmste: Du bist plötzlich fünf Jahre älter.»

Ich wusste, es war eine Sommergrippe von der bösen Sorte gewesen, die hier ihre Spuren hinterlassen hatte. Mein Freund schickte mir einen Blick, als wollte er mich fragen: Na, wie sehe ich aus? Wie sehe ich wirklich aus? Wie ausgespuckt? Oder doch schon wieder ganz passabel?

Er sagte nichts, wartete nur auf meine Antwort. Ich bin sein Freund seit dreißig Jahren, da hat er eine Antwort verdient. Aber was für eine Antwort sollte es sein?

Die ehrliche Antwort wäre gewesen: Du siehst leider aus wie der Tod auf Latschen. Das ist so ein Spruch, an den ich mich noch aus den Hungerjahren der Nachkriegszeit erinnere, als wir alle wie Klappergestelle durch die Trümmerlandschaft liefen.

Aber muss man wirklich jetzt ehrlich sein, in dieser Situation, da sich der Freund mühsam aus dem Tal nach oben rappelt? Da hörte ich schon meine eigene Stimme wie die Stimme eines

Fremden: «Ich hatte es mir schlimmer vorgestellt, nach alldem, was du mir am Telefon erzählt hast.»

Es war eine Lüge, eine verdammte Lüge. Mein Freund quittierte sie mit einem Lächeln, wie ich es zuvor nie gesehen habe. Ein trauriges, ein mitleidiges Lächeln, so als wollte er sagen: Ich weiß Bescheid, mein Junge, erzähl mir nichts, ich weiß doch genau, wie es um mich steht. Ich spür die Wahrheit doch in meinen Knochen. Es ist ja freundlich, dass du mich schonen willst, aber was soll's …

«Wir werden alle älter», sagte ich nun, eine Floskel, Kleingeld der Konversation, das schön klimpert, jedoch nichts wert ist.

«Ja, wir werden älter, das stimmt. Aber ruckweise! Nicht peu à peu.» Mein Freund blieb hartnäckig. Er wollte ganz einfach hören, dass er diesen Ruck gemacht hat, und ich sollte es ihm bestätigen, weil ich sein Freund bin. Und weil es doch irgendwo noch ehrlich zugehen muss, inmitten aller Scheinheiligkeit dieser Welt.

Er hatte genug von denen, die immer nur sagen, wie blendend er sich schon erholt habe, da er doch selbst jeden Morgen zutiefst erschrocken war, wenn er sich im Badezimmerspiegel sah. Nein, er wollte die Wahrheit hören, nichts als die Wahrheit.

Genau diese Wahrheit blieb ich ihm schuldig. Ich fühlte mich durchaus moralisch legitimiert, ihn zu schonen, ihm zu sagen, dass er «ganz der Alte» ist, damit er wieder der Alte wird.

Dass ich auch mich selbst schonen wollte, indem ich seinen Fragen auswich, ihn mit der Floskel «Wir werden schließlich alle älter» abspeiste, wurde mir erst klar, als die Nachricht seines plötzlichen Todes eintraf.

Und so mischte sich in meine Trauer auch Zorn darüber, dass

wir im Leben manchmal zwischen Wahrheit, Lüge und Notlüge gar nicht wählen können und darum oft auch so kläglich scheitern.

Wie Fernsehbilder Fassaden zum Einsturz bringen

Geheimnisvoll, wie sich Trauer in unseren Herzen aufbaut. Trauer um eine Fremde, um eine Frau, die wir «eigentlich» gar nicht kennen, von ein paar Fotos in den Zeitungen, ein paar Szenen im Fernsehen abgesehen – und einigen wenigen Interviews, die sie auch eher zögernd gegeben hat.

Und dann geschieht Erstaunliches. Wir spüren plötzlich, da ist ein Schicksal, da zerbricht eine Fassade, wir schauen in ein Leben voller Dramatik und Schmerzen, und der Glanz der Macht und der Herrlichkeit verschwindet wie eine untergehende Sonne am Horizont.

Es sind die Medien, es ist vor allem das Fernsehen mit der Wucht seiner Bilder, die diese Trauer in uns auslösen, die uns in ein Wechselbad der Gefühle tauchen.

Einmal sehen wir, wie in einem privaten alten Super-8-Film, die Momente ihres öffentlichen und auch privaten Lebens in der Rückblende, eine familiäre Stimmung breitet sich aus, die fremde Frau ist in unserem Wohnzimmer, mehr noch: Die Fremde ist plötzlich in unserem Herzen angekommen. Minuten später blicken wir in die Gesichter der vielen tausend Menschen, die stundenlang vor dem Dom zu Speyer ausharren, um Abschied zu nehmen von dieser tapferen Frau. Und die mit dem Gespür für wahrhaft menschliche Größe und Tragik, das beim so genannten «kleinen Mann», Gott sei Dank, noch immer nicht verschüttet ist, ihre Anteilnahme bekunden wollen.

Keine Generation zuvor hat so oft einen durchaus auch persönlich empfundenen Verlust zu beklagen wie unsere heutige Fernseh-Generation, die im Sessel nicht nur das gesamte Elend der Welt miterlebt, sondern auch immer wieder durch Einzelschicksale in seelische Abgründe gerissen wird; denken wir nur an die millionenfache Trauer bei der Ermordung von John F. Kennedy oder dem Autotod von Prinzessin Diana.

Leider wissen wir immer noch zu wenig über die Tiefenwirkungen dieses Mediums:

Stumpft uns die Bilderflut, die Tod und Terror transportiert, eher ab – oder bewirkt sie das Gegenteil: Werden wir milder, gerechter, wollen wir gar Gutes tun, helfen?

Nur in einem Punkt gibt es Gewissheit: Die Schockerlebnisse des Fernsehens, wenn sie echt sind und nicht sensationell aufgebauscht, machen uns nachdenklicher.

Bei der rasenden Fahrt, mit der wir durch das Leben hetzen, stellt das Fernsehen Stoppschilder auf. Haltet inne! Bedenkt euer eigenes Schicksal! Erkennt die Schicksalhaftigkeit unseres Daseins. Dieses «Ausgeliefertsein» an das Schicksal, von dem Jean-Paul Sartre sprach; diese «Geworfenheit», die Heidegger meinte.

Der Zuschauer misst unversehens und unvorbereitet sein eigenes Schicksal an dem Schicksal der Prominenten, die ins Scheinwerferlicht getaucht werden, ausgeleuchtet bis in den letzten Faltenwurf. Von denen er irrtümlich immer annahm, diese vom Schicksal verwöhnten Menschen seien in den Gefilden beständigen Glücks zu Hause, und nichts könne sie umwerfen.

Und dann wird ihm im Fernsehsessel die Brüchigkeit des Lebens in allen Facetten und ohne Schonung vorgeführt. Und zwar live! Es gibt keinen Menschen, der nach einer solchen miterlebten und dann auch mitempfundenen Trauer nicht seinem eigenen Geschick gegenüber demütiger und dankbarer geworden ist.

Was immer man den Massenmedien auch sonst anlasten mag, diese kathartische Wirkung ist ein gutes Gegengewicht zu den Auswüchsen, unter denen wir sonst hin und wieder leiden.

Wann werden die Trümmer von New York in unseren Gedanken geräumt sein?

«Es wird nie mehr so sein, wie es einmal war.» Ein Feuerstoß in den Himmel, dieser Satz. Milliarden Mal in diesen schwarzgrauen Septembertagen gesprochen und geschrieben. In allen Sprachen. In allen Ländern.

Ein verdammt simpler Satz, genau besehen: eine Binsenwahrheit. Was ist schon morgen so wie heute? Leben ist Veränderung, Wandel, Wende …

Und doch: Wie ein Schatten steht hinter diesem Satz ein zweiter. Und diesen Satz kennen wir auch. Wir wollen ihn nur nicht hören. Wir sprechen auch nicht darüber. Höchstens die Seelenforscher tippen mal daran.

Denn dieser zweite Satz zielt auf jeden von uns. Wir können ihm nicht entkommen. Er lautet: «Auch ich werde nie mehr so sein, wie ich einmal war.» Mein Koordinatensystem, in dem ich mich gemütlich eingerichtet habe, mit Urteilen und Vorurteilen, kracht nicht nur in allen Fugen – es ist am 11. September zerrissen.

Es geschah in New York, und New York ist «eigentlich» weit weg. Aber heute ist nichts weit weg. Heute ist alles immer auch hier, so weit weg es auch sein mag.

Seit die Tower-Bilder in meine Augen schossen, bin ich nicht mehr der, der ich war. Das spürte ich schon in dem Augenblick, da ich, die letzte Sommersonne dieses Jahres suchend, am Strand von Ostia hörte, wie eine junge italienische Frau im Liegestuhl zu ihrer Mutter sagte: «Gott sei Dank, es ist nicht der Petersdom», ehe sie das Transistorradio aufdrehte.

Stunden zuvor war ich noch im Dom gewesen, und nun wusste ich: Komme ich wieder nach Rom, werde ich dieses Gotteshaus mit anderen Gedanken, anderen Gefühlen betreten – und mit noch mehr Demut, als die Erhabenheit der Kirche mir sowieso schon abverlangt.

Wohin ich komme, mit wem ich spreche, wen oder was ich sehe, alles hat sich verändert. Keine Vokabel, die nicht eine neue Bedeutung hat. «New York, New York» von Frankyboy swingt nicht mehr, schmerzt jetzt im Ohr. Der gute Gott von Manhattan ist nur noch die Zeile einer Dichterin.

Auf dem Flug nordwärts zurück nach München: zwei dunkelhäutige Männer neben mir im Flugzeug – mit trübem Blick. Gestern noch hätte ich gedacht: Die Jungs haben sicher einen draufgemacht, sie sollten mal ausschlafen. Und heute?

Aber auch die freundliche Türkin in ihrem Obstgeschäft, zwei Straßenecken weiter, die immer die süßesten Früchte hat, lächelt nicht mehr. Auch sie tickt anders.

Es wird telefoniert in diesen Tagen wie nie zuvor. Ein alter Freund ruft an: «Ich will einfach nur mal wieder mit dir reden.» Wir suchen Nähe. Wie verlorene Kinder im Dickicht eines Waldes. Schauen in den Himmel, haben aber nie wie unsere Vorfahren gelernt, unseren Weg nach den Sternen zu suchen. Und unser innerer Kompass? Da zittert die Nadel auch schon seit langer Zeit verdächtig.

Eine gute Freundin will aus der Brutalo-Szene, die uns die Medien aufgestellt haben, «ganz brutal» aussteigen. «Kommen Katastrophenfilme, drehe ich ab. Kommt in Diskussionsrunden das Geschwafel der Intellektuellen, die Mord und Terror ‹relativieren› wollen, fällt bei mir die Klappe. Mord und Totschlag im

Kino, im Fernsehen, im Roman – nein danke. Ich muss das Gift in meinem Gehirn loswerden», sagt sie.

Und ein Nachbar sagt zu mir: «Wie haben wir nach dem Krieg geschuftet, damit unsere Kinder es einmal besser haben.» Und dann schweigt er lange, flüstert nur noch: «Und nun dies.» Drei Worte nur, aber wie verzweifelt können solche drei Worte klingen.

Man weiß, die Trümmer in New York sind beseitigt. Aber niemand kann die Frage beantworten: Wann werden auch die Trümmer in unseren Gedanken geräumt sein?

Die Botschaft des Mannes aus dem Rollstuhl

Ich gehe über den Münchner Rosenkavalierplatz. Die Sonne blendet die wintermüden Augen. Plötzlich ruft jemand meinen Namen.

Ich blicke mich um, entdecke im Halbdunkel unter einer Markise einen Mann, etwa um die fünfzig, und zögere für eine Sekunde: Soll ich weitergehen, soll ich stehen bleiben, was ist richtig, was falsch?

Der Mann ist mir fremd – und er sitzt im Rollstuhl. Er spürt, dass ich nach einer Spur der Erinnerung suche. Aber erst, als er mir seinen Namen nennt, dämmert es bei mir: Richtig, wir arbeiteten einmal zusammen, in einem großen Haus, bestimmt dreißig Jahre sind seither vergangen.

«Sie wirken so nachdenklich», sagt er nun. «Ja», antworte ich, «ich denke gerade über meine Oster-Kolumne nach.»

«Schreiben Sie doch über Menschen, die durch den Börsenboom die Balance verlieren» – ein Freund von ihm habe über Nacht eine Million gemacht, seitdem sei er nicht wieder zu erkennen, er habe total abgehoben, schrecklich.

«Ich werde es mir überlegen, obwohl Spekulanten nicht gerade in einen österlichen Text passen, aber vielen Dank für die Anregung.» Mit einem Händedruck und einem «Grüß Gott» trennen wir uns …

Zehn Minuten später, nach einem Stöbern im Buchladen: Ich sitze mit einem «Einspänner» im «Wiener's Café», tanke Sonne, lese Zeitung, da kommt der ehemalige Kollege noch einmal zu mir, mit dem mich nichts verbindet als ein flüchtiges Nebeneinander vor Ewigkeiten. Ja, ich hätte Recht: Ostern und Aktien, das sei wohl doch eine falsche Kombination.

Darum habe er mir schnell aufgeschrieben, was ihm so durch den Kopf gehe, wenn er Menschen beobachte, wozu er ja alle Zeit der Welt habe: ihre Gier und ihre Hast, ihre Einsamkeit, ihre Verlorenheit, ihr Maus-in-der-Trommel-Leben, auch dieses Hineingestoßenwerden in ein Gefühl der Sinnlosigkeit.

«Darüber schreiben Sie doch hin und wieder», sagt er und reicht mir das Papier. «Sie können meine Notizen verwenden, wie Sie wollen», ruft er mir noch zu und rollt davon.

Schon nach Lektüre der ersten Zeilen weiß ich: Seine Gedanken darf ich nicht in meine Worte kleiden, sie müssen ungefiltert weitergegeben werden, in ihnen stecken die Weisheit und Stoßkraft eines Menschen, der Schmerz und Verlust erlitten und überwunden hat.

Kein anderer könnte schreiben, was ich nun lese: «Wie viele Menschen können aufstehen, wissen aber nicht, warum. Können stehen, wissen jedoch nicht, wozu. Können laufen, ohne zu wissen, wohin. Wie viele Menschen können hören und verstehen dennoch nicht. Können sehen, aber erkennen nicht. Wie viele Menschen haben eine Stimme, aber nichts zu sagen. Hätten viel zu sagen, aber wagen nichts zu sagen. Wie viele Menschen haben ein gesundes Herz, aber nichts, wofür es schlägt.»

Das also war die Botschaft aus seinem Rollstuhl. Erkennen Sie andere Menschen darin wieder? Oder gar sich selbst? Machen Sie es wie ich: Lassen Sie diese Zeilen noch einmal in sich nachschwingen. Denn so viel Wahrheit in so wenigen Zeilen, das ist kostbar, das gibt es nur selten.

Warum nicht Sylt? Dank für eine Erfahrung

Nun bin ich doch gefahren. Ein paar Freunde hatten mich überredet, im Sommer einmal wieder hinauf in den Norden zu kommen. «Warum nicht Sylt?», hatten sie mich gefragt, als sie bemerkten, dass ich zögerte. Sylt ist immerhin eine Lockspeise. Da geht im August die Post ab. Ja, warum nicht Sylt?

Natürlich hatte mein Zögern einen Grund: Ich liebe den Süden über alles. Ein Frühstück auf einer schattigen Sonnenterrasse ist für mich die schönste Eintrittskarte in einen Ferientag. Der Gedanke, im Friesennerz dem Wetter trotzen zu müssen, erschreckte mich.

Und Amalfi, Capri, Taormina, um nur einige Stätten zu nennen, sind nun einmal eher die Adressen meiner Sehnsucht als Klanxbüll oder Niebüll, wo ich ja zuerst hinmuss, wenn ich nach Sylt will.

Beim Einfädeln in die Schlange der wartenden Autos, die nach Westerland mit der Bahn verladen werden, kommen mir die ersten Zweifel, ob es richtig war, den Schalmeienklängen des Nordens zu folgen. Zwar musste der Scheibenwischer zu keiner Stunde in Aktion treten auf der langen Reise von München über Hamburg und an Husum vorbei – «der grauen Stadt am grauen Meer», was eine schöne Dichter-Zeile, aber kein guter Werbeslogan ist. Hier in Niebüll aber war es so weit: Erst nieselte es, dann regnete es.

Dabei hatte sich die Boulevardpresse, die die Sonnen-Sehnsucht ihrer Leser bestens kennt, mit Schlagzeilen vom Einzug des Sommers endlich auch im Norden überschlagen.

Am ersten Abend führten mich meine Freunde in eines jener stets ausgebuchten Top-Lokale mit dem schönen, an heiße afrikanische Nächte erinnernden Namen «Sansibar».

Und doch: Als ich mich zu der Bretterbude im Dunkel des früh einbrechenden Abends vorarbeitete, überwältigte mich ein Gefühl der Verlorenheit. So trist, so kalt, so windig hatte ich mir den August auf Sylt bei aller Liebe nicht vorgestellt.

Würde in dieser einsamen Dünenlandschaft ein Ufo aus fernen Galaxien landen, es würde auf der Stelle zurückstarten. Kein Grund, auf unserem blauen Planeten zu bleiben, wenn er so mondkratereinsam ist wie hier.

Am zweiten Abend gönnte ich mir in Kampen, dem Nobelort der Insel, das «Gogärtchen», jenen Treffpunkt der Reichen und der Schönen, der längst Legende ist. Diesmal hatten sich ein paar Deserteure eingefunden, denen eine Lederhosen-Party irgendwo anders plötzlich «stinklangweilig» geworden war und die sich nun – von der jodhaltigen Luft hormongesteuert – bestens amüsierten und auf den Bänken tanzten.

Das war Sylt, wie es die Gesellschafts-Magazine gerne zeigen, weshalb man immer glaubt, man lebt am Leben vorbei, wenn man nicht dabei ist.

Am dritten und letzten Tag endlich beschloss ich, es einem Manager nachzumachen, der mir sein Sylt-Rezept ans Herz gelegt hatte: «Um zehn Uhr sind wir hier spätestens in der Klappe, damit wir am nächsten Tag den schönen Rausch der Nüchternheit genießen.» So stürzt er sich jeden Morgen, notfalls auch bibbernd, in die Fluten, «ein Jungbrunnen, Sie sollten es probieren».

Und siehe da: Ich erlebte die Verwandlung. Ich trauerte nicht mehr südlicher Verweichlichung nach. Ich warf mich dem Wind in die Arme, getreu der Weisheit, sich zum Freund zu machen, wen man als Feind nicht besiegen kann. Und Wind und Kälte kann man nicht besiegen. Also runter zum Meer. Durchatmen. Kilometerweit laufen im Dunst der Gischt: nur ein paar Menschen, Möwenschreie. Und ich spürte: Der Zauber von Sylt offenbart sich dir genau dort, wo du ganz winzig, ganz unwichtig, ganz namenlos bist. Wo das anbrandende Meer dich versöhnt mit dem Wind und den Wellen und dem Regen und dem Sturm, weil du dich dem Göttlichen der Schöpfung plötzlich für einige Momente so nahe weißt wie kaum sonst irgendwo auf der Welt.

Danke, Sylt, für dieses Erlebnis, für diese Erfahrung.

Das seltsame Erlebnis des Direktors Brettstätt

Zu den Abenteuern des Lebens gehört es, jemanden zu engagieren, ihm Vertrauen zu schenken nur aufgrund eines Briefwechsels, eines ersten flüchtigen Eindrucks, eines Gesprächs schließlich – und dann zu hoffen, den richtigen Mann oder die richtige Frau gefunden zu haben.

Direktor Brettstätt, wie ich den Helden dieser kleinen unglaublichen Geschichte nennen möchte, unterhielt sich mit einem Bewerber, den er als seinen Stellvertreter in die Führungsspitze seiner kleinen, aber feinen Firma einstellen wollte.

Es gab nach ein paar Floskeln wundersamerweise sehr schnell eine weitgehende Übereinstimmung, sodass Brettstätt den Mann mit den Worten entließ: «Ich glaube, wir sind auf einem guten Weg. Rufen Sie mich morgen gegen neun Uhr an.»

Was dann geschah, war bei dem Chef ein Hinundherschwanken der Gefühle: Soll ich dem jungen Mann den Vertrag nun geben oder nicht? Der erste Zweifel kam, als seine Frau, die im Vorzimmer für einige Minuten wartete, ihren Mann fragte: «Was war denn das für ein komischer Vogel, der da eben aus deinem Büro kam?»

«Wie soll ich das verstehen?», fragte Brettstätt zurück, «der Mann soll mich hier entlasten, damit ich später mehr Zeit für dich habe.»

«Aber doch nicht dieser Kauz», rief sie ihm beim Abschied noch zu. Brettstätt nutzte die folgende Mittagspause für einen

Stadtbummel. «Frische Luft schnappen», sagte er zur Sekretärin.

In Wahrheit wollte er über den Bewerber noch einmal nachdenken. Am Bahnhof angekommen, stutzte er beim Anblick eines Denkmals, das der junge Mann in höchsten Tönen gelobt hatte, als er davon sprach, zum ersten Mal in diese Stadt gekommen zu sein.

Für Brettstätt aber war dieses Monument ein Ausbund an Scheußlichkeit, und er fragte sich schon, wie der Mann, der seine Firma eines Tages führen sollte, eine solche Grausamkeit in Bronze nur schön finden konnte.

In der Buchhandlung, beim Schmökern, fiel Brettstätt Minuten später ein Bestseller in die Hände, von dem der Bewerber gesagt hatte, er habe ihm gefallen, er habe ihn auf der Bahnfahrt gelesen und sei einfach hingerissen vom Stil und von der Handlung des Romans.

Der Klappentext indes verwirrte Brettstätt, handelte es sich doch um «ein Meisterwerk entlang jener Grenze, die mit Pornographie nur unzureichend umschrieben ist». Die Lektüre verlange starke Nerven und eine Toleranz, die jenseits der allgemein gültigen Zumutungen liege.

Nun schrillten alle Alarmglocken, der Zweifel schoss bei Brettstätt wie eine Fontäne in die Höhe. So geschmeidig der junge Mann bei der Verhandlung auf all seine Vorstellungen eingegangen war – für Brettstätt war es nun doch zur Gewissheit geworden: Ein Mann, der dieses bronzene Ungeheuer lobt, der Bücher entlang der Grenze zur Pornographie mag, sei wohl doch nicht geeignet, in seine Firma einzutreten, noch dazu als Nachfolger «mit allen Vollmachten», die er sich sofort ausbedungen hatte. Deshalb würde er ihm also absagen, wenn der junge Mann morgen früh vereinbarungsgemäß anrufen würde.

Aber statt eines Anrufs lag am nächsten Morgen ein Fax auf Brettstätts Schreibtisch: eine Absage. Trotz des «guten Gesprächs» könne er sich nicht entscheiden, zu ihm zu kommen, schrieb der junge Mann. Der Gartenzwerg, der den Eingang zu Brettstätts Bürohaus schmückt, habe ihn doch sehr nachdenklich gestimmt …

Plötzlich ist es zum Reden zu spät

Da stand dieser Satz, dieser eine Satz, und ich lese ihn immer und immer wieder. Geschrieben von einer Frau, die ihren Mann Tage zuvor verloren hat, durch einen Autounfall, aus heiterem Himmel, wie man so sagt, obwohl dieser Todestag ein grauer deutscher lichtloser Wintertag war. Und es war nur dieser eine Satz in ihrem Brief, der mich plötzlich gefangen hielt und herausforderte.

«Durch den Tod meines Mannes hänge ich oft meinen Gedanken nach und erkenne nun schmerzhaft, dass so vieles Wichtige selbst zwischen uns auch in über dreißigjähriger Ehe unausgesprochen blieb – und heute ist es zu spät.»

Als ich diese Zeilen las, war mir zumute, als würde sich eine Tür öffnen, die auch ich bisher immer verschlossen hielt. Denn sie führt mich – fast hätte ich gesagt: gnadenlos – hinein in die Welt all jener Gedanken, die sich hinter einer einzigen Chiffre verstecken: Bitte, bitte nicht schon jetzt darüber sprechen, vielleicht einmal irgendwann später.

Ja, vielleicht später über all diese sorgsam verdrängten Fragen reden, die sich mit dem Tod verbinden, dem eigenen Tod, dem Tod des Partners, mit dem Testament, mit den Verfügungen aller Art, vielleicht sogar bis hin zum zeremoniellen Ablauf der Trauerfeier.

Wer mag das schon bedenken und bereden während der Sausefahrt durchs Leben, das man in seinen glücklichen Momenten sogar endlos wähnt – und unangreifbar.

Ich habe die Freundin vergangener Tage angerufen, die mir von diesem «Zu spät» geschrieben hatte, wollte die Gründe erforschen, warum es in ihrer doch so wunderbaren Ehe keinen Gedankenaustausch gegeben hat über die letzten Dinge, aber auch die verschwiegenen Probleme. Obwohl doch beide sich dem 70. Geburtstag näherten, sich also im Herbst des Lebens befanden und scherzhaft nur darüber stritten, ob es für sie noch September sei oder nicht doch schon Oktober …

«Ich mochte meinen Mann mit derlei Dingen nicht belasten, er arbeitete immer noch hart und hätte für meine seelischen Ergüsse vermutlich kein Verständnis gehabt», sagte sie und spürte doch im selben Augenblick: Das allein konnte es nicht gewesen sein.

«Ich habe dann in letzter Zeit wohl ein paar zaghafte Anläufe unternommen, aber mein Mann blockte alles immer sofort ab», sagte sie nun und wusste zugleich: Es mag ja in jungen Jahren klug und richtig sein, die dunklen Seiten des Lebens auszublenden, aber war es auch noch richtig, wenn die Lebensuhr immer schneller hinein ins Alter läuft?

Dann hielt sie inne. Meinen Trost, dass es vielleicht Liebe war, die ihren Mann veranlasst hatte, dieses eher dunkle Thema zu meiden, wollte sie nicht gelten lassen: «Es ist immer dasselbe. Man denkt, es hat ja noch Zeit, morgen ist auch ein Tag. Aber dann hältst du doch plötzlich inne, und du fragst dich: Wie konnte dir das passieren?»

Begegnung mit den Zwergen der Bürokratie

Endlich einmal wieder an der See, am Timmendorfer Strand, frühmorgens schon, nur ein paar Jogger auf der Promenade.

Das Meer liegt blinkend wie ein silbernes Tablett vor mir, Möwen schwingen über Strandkörbe – es ist wie in den Kindertagen, als wir zur «Sommerfrische» an die Ostsee reisten, an Rügens Steilküste, ins malerische Ahrenshoop, ins noble Travemünde, denn «See bleibt See», wie Muttern sagte, lang ist alles her.

Plötzlich überfällt mich der Wunsch, einmal die Füße in die Ostsee zu stecken, zu fühlen, wie warm oder kalt das Wasser ist; einen Moment nur, zu mehr reicht die Zeit nicht. Ich muss in einer Stunde in Lübeck sein, und ich sage das auch dem Mann, der mir den Zugang zum Strand abrupt versperrt.

«Haben Sie eine Kurkarte?»

«Nein, ich will nur einmal das Meer fühlen, ich komme direkt aus München, vielleicht komme ich morgen für länger, heute geht es leider nicht.»

«Ohne Kurkarte ist hier kein Durchkommen.» Der Korbvermieter bleibt hart.

«Auch nicht, um nur eine Minute ans Wasser zu treten?»

«Keine Minute, nicht eine Minute, nix zu machen.»

Der große bunte Luftballon, voll gepackt mit der Sehnsucht nach weitem Himmel, Meer und Muscheln am Strand, er sackte in sich zusammen. Ich hatte plötzlich die Fratze der Bürokratie vor mir. «Hier gab es doch vor zehn Jahren ganz in der Nähe die Zonengrenze, die Mauer ...»

«Hören Sie auf, nix zu machen, ohne Kurkarte läuft hier nichts. Wäre ja noch schöner, wo sind wir denn?»

Ich wusste auch so, wo ich bin: in Deutschland, dem Land der Regulierung und Reglementierung. Enttäuscht genehmige ich mir einen Cappuccino im Café, blättere in Zeitungen, beobachte Mütter mit kleinen Kindern, die verzweifelt in den Himmel starren, als würden sie beten: Gott, lass den Sommer noch ein bisschen bei uns.

Und ich lese und staune: Ausgerechnet Gregor Gysi sagte zur «Welt» auf die Frage, was ihn an der westdeutschen Politik am meisten enttäuscht habe: «Dass die Bundesrepublik noch viel bürokratischer organisiert ist, als es die DDR jemals war. Das geht so weit, dass es mich fassungslos macht. Die Freiräume sind viel zu eng.»

Und die Berliner «BZ» berichtet, «wie die Bürokratie unser Berlin mit immer mehr Vorschriften und Strafen kaputtmacht». Sogar das weltbekannte Hotel Adlon musste in «schwierigen Verhandlungen» mit den Behörden ein Jahr warten, ehe endlich eine Sommerterrasse mit Blick aufs Brandenburger Tor genehmigt wurde. «Freiheit ade», schreibt die Zeitung, zu Recht.

Rückfahrt nach Hamburg, Heimflug nach München. Meine Gedanken eilen schon voraus – hin zu den Stränden im Süden, hin zu den Italienern oder Spaniern, von denen keiner gewagt hätte, mich daran zu hindern, kurz ans Meer zu treten.

Zwar wusste schon Honoré de Balzac, dem wir die «Menschliche Komödie» verdanken, dass die Bürokratie ein gigantischer Mechanismus ist, der von Zwergen bedient wird. Das Problem ist also international und seit langem als Krankheit erkannt. Aber wie so oft erreichen wir Deutschen auch in dieser Disziplin die Meisterschaft.

Wann kommen endlich einmal Politiker (und Kurdirektoren), die reihenweise Gesetze und Verordnungen außer Kraft setzen und Schikanen abschaffen, statt immer neue Strangulierungen zu erfinden?

Großeltern als Verwöhnaroma

Mein lieber Enkel, dies ist ein Brief nur für dich, und was ich dir schreibe, muss unter uns bleiben, großes Ehrenwort!

Als du heute Mittag aus der Schule gekommen bist, hast du vielleicht bemerkt, dass deine Mutter Tränen in den Augen hatte. Auf deine Frage, ob etwas passiert sei, sagte sie nur: «Nichts ist passiert, überhaupt nichts.» Und das stimmt auch, wenn man darunter versteht, dass es kein Unglück, keine böse Nachricht und auch keinen anderen Schicksalsschlag gab.

In Wahrheit aber liegen die Dinge komplizierter. Deine Mutter ist traurig, und das hat sie mir auch verraten. Und warum? Weil sie aus einem harmlosen Anlass für einen Augenblick glaubte, dass wir Großeltern dich und deine Schwester mehr lieben, als sie es tut, und weil sie vermutet, dass du uns manches anvertraut hast, was sie nicht unbedingt wissen soll.

Nun ist Liebe eine Sache, die man nicht mit Gewichten messen kann. Aber eines sollst du wissen: Wir Großeltern lieben euch über alles, und eure Eltern tun es auch! Ihre Liebe trägt nur ein anderes Gewand. Sie müssen euch durch den Alltag führen, mit all seinen Problemen. Schularbeiten kontrollieren. Den Streit um cin Moped ausfechten. Den ständigen Kampf um die Uhrzeit, wann ihr abends zu Hause sein sollt: Saturday Night Fever nur bis Mitternacht – grausam, aber nötig.

All diese Ermahnungen zu Höflichkeit, Sparsamkeit und all die anderen Mühseligkeiten des Lebens, sie bleiben uns Großeltern weitgehend erspart.

Ich habe in einem Magazin eine Umfrage darüber gelesen, was Kinder an ihren Großeltern so sehr lieben. Ich will mal kurz zitieren: «Mein Opa fragt mich nie, was in der Schule bei mir läuft, das finde ich total cool an ihm» (Schüler, 12 Jahre). «Großeltern sind für mich: 1. Notanlaufstelle. 2. Taschengeldquelle. 3. Verwöhnaroma. 4. Geschenkbasar. 5. Vertrauenstypen. 6. Veteranen in Erfahrung» (Schüler, 16 Jahre). Und eine 15-jährige Sekundarschülerin vertraute der Zeitschrift «Eltern» an: «Großeltern haben mehr Verständnis für uns als unsere Eltern. Das liegt daran, dass sie nicht alles so tragisch nehmen. Sie leben schon viele Jahrzehnte und haben darum einen größeren Überblick. Vor allem machen sie nicht aus jedem Furz einen Donnerschlag wie meine Mutter.»

Du siehst an diesen paar Zitaten: Du bist nicht allein mit diesem Gefühl, von den Eltern härter angefasst zu werden als von uns, die wir im Spiel eures Lebens eher in der Kulisse stehen und von dort aus mit kleinen Gesten und Zwischenrufen – und natürlich auch Geschenken – versuchen, euer Leben schöner, leichter und noch glücklicher zu machen.

Natürlich kennen wir Großeltern auch eure geheimen Wünsche. «Wie ideal sind deine Eltern?», wurden über zweitausend Kinder und Jugendliche gefragt, und immerhin zwei Drittel von ihnen hatten Probleme mit Vater und Mutter. Hier ist die Negativliste nach Häufigkeit der Nennungen: Eltern sollen nicht so streng, nicht so ungerecht, nicht so sparsam oder gar geizig sein. Sie sollten nicht so viel schimpfen, müssen zuhören können, Kinder ausreden lassen und ihnen nicht über den Mund fahren.

Glaub mir: Eltern haben mit euch ein volles Programm. «Wir brauchen zum Geburtstag unserer Tochter ein Geschenk, das die Kleine wirklich erfreut und mit dem sie sich lange beschäftigen kann», sagte ein berufstätiges Ehepaar in einem Spielwarengeschäft. Die kühle Antwort der Verkäuferin: «Eltern haben wir leider nicht im Sortiment.»

Gib deiner Mutter einen Kuss, und ruf sie heute Abend zur vereinbarten Zeit aus der Disco auch wirklich an, wenn sie dich darum gebeten hat. Ihr jungen Leute habt es heute doch so leicht, handymäßig gesehen.

Herzlich,
dein Großvater

Freunde kann man nicht kaufen

Mein lieber Freund, ich bin so traurig wie du. Ich habe deine Stimme noch nie so weit entfernt gehört wie gestern, als wir wenigstens telefonisch miteinander sprachen. Und noch niemals in all den zwanzig Jahren, seit wir uns kennen, war so viel Enttäuschung bei dir zu spüren.

Ja, du hast Recht: Ich hätte zu dir kommen müssen, sogar sofort, nachdem du mich gebeten hattest, einmal vorbeizuschauen.

Ein «Freundschaftsdienst», nicht mehr. Und ich hatte ja auch gesagt: Du kannst mit mir rechnen, ich komme so bald wie möglich, «versprochen ist versprochen».

Und nun stehe ich beschämt da. Ich weiß nicht, warum ich nicht zu dir gefahren bin. Die eine Stunde Autofahrt. Ein Klacks, kein Grund, einem Freund den Wunsch zu versagen, den er wie in Seide verpackt vorgetragen hatte: Ich habe da ein Problem, ich könnte deine Hilfe gebrauchen, es wäre doch schön …

Was habe ich in all den Tagen gemacht, seit ich dir mein Versprechen gab? Was war alles so wichtig, dass ich mich bei dir dann doch nicht blicken ließ?

Meine Sekretärin, die den Terminkalender führt, hat mich hierhin und dorthin geschickt – eine Vernissage, mehrere Mittagseinladungen, vier Chefkonferenzen, dazu die unangemeldeten Besucher – alles wichtig, manches sogar wichtig-wichtig, aber wirklich wichtiger als das Zusammentreffen mit dir?

In der Rückschau betrachtet, finde ich es schon geheimnisvoll, wie schnell wir die Tür öffnen für Fremde, die plötzlich anklopfen, wie wir auch bereit sind für spontane Begegnungen, die nicht geplant und schon gar nicht «angemeldet» sind, und wie wir uns dabei im Dschungel der Termine verirren.

Aber eines darf nicht passieren: dass man seinen guten Freund links liegen lässt. Ich habe lange darüber nachgedacht, denn es gehörte zu den traurigen Erfahrungen, deine Resignation zu spüren und die Gefährdung unserer Freundschaft obendrein.

Ich glaube, der Fehler ist, dass wir denken: Was wir haben, das haben wir. Ein Freund wird mich schon verstehen. Ein Freund ist geduldig, großzügig, man kann ihm etwas zumuten – kurzum: Freunde können auch schon mal warten, wenn etwas anderes dazwischenkommt.

Und natürlich kommt bei unserem Non-Stop-Leben immer etwas dazwischen. Dieses verdammte «Carpe diem», dem wir hörig sind, treibt uns an: Nutze nicht nur den Tag, nutze die Stunde, die Minute. Die typische Konsumentenmentalität einer Gesellschaft, die im Hier und Heute exzessiv lebt.

«Wir kaufen alles fertig in den Geschäften», schrieb Antoine de Saint-Exupéry, «aber da es keine Kaufläden für Freunde gibt, haben die Leute keine Freunde mehr.»

Der Flieger-Dichter meinte natürlich die echten, die treuen Freunde, so wie ich dir einer sein möchte. Verzeih mir, dass ich all das letztlich Unwichtige für wichtig hielt. Und mir in der Eitelkeit gefiel, für alle möglichen anderen Menschen Zeit zu finden, nur weil sie den verführerischen Reiz des Neuen in mein Leben brachten.

Da hat es das Alte, das Bewährte, manchmal schwer. Natürlich hätte ich dich anrufen, mich entschuldigen können, aber ich finde, so wichtige Dinge sollte man nicht am Telefon – im wahrsten Sinne des Wortes – «erledigen».

Zum Hörer greifen und schnell um Verzeihung bitten ist eine Sache. Und die ist im Handy-Zeitalter noch beliebter als zuvor. Eine andere ist es, sich ganz ausdrücklich zu dem Fehler zu bekennen und dies schriftlich festzuhalten, wie ich es hier nun getan habe. Buchstaben auf Papier sind eben manchmal doch besser als Töne im Ohr.

So kannst du dir die Antwort in Ruhe überlegen und sie mir morgen sagen, wenn ich dich anrufe, um dann spätestens übermorgen zu kommen. Versprochen ist versprochen. Und wenn ich dann klingle, sei so gut, und öffne bitte die Tür. Und sage mir ehrlich, was dich bedrückt.

Wenn das schlechte Gewissen bellt wie ein Hund ...

Lieber junger Freund, ich verstehe ja, dass es für Sie mühsam ist und «frustrierend», wie Sie sagten, wenn Sie zu Ihrem Vater fahren, der irgendwo im Süden in einem Heim lebt, seit dem Tod seiner Frau vor vier Jahren. Endlos scheint sich für ihn die Zeit zu dehnen, während Sie gar nicht wissen, wie Sie die eilende Zeit festhalten können, jung, wie Sie sind.

Ich verstehe auch, dass Sie die spürbare Einsamkeit in den langen leeren Korridoren empfinden, die zum Appartement Ihres Vaters führen, nur vierundzwanzig Quadratmeter, eng und klein, das ganze Leben hineingepresst wie in eine Nussschale. Und wenn Sie kommen, reißen Sie erst mal die Fenster auf ...

Zuletzt waren Sie Weihnachten bei Ihrem Vater, und nun ist März, und Sie wissen nicht, ob Sie «schon wieder» hinfahren müssen, zweihundert Kilometer immerhin, und dann gibt es doch nur wieder Worthülsen. Wie geht es so? Ist das Essen gut? Erzähl mal, wie es draußen aussieht, mein Junge. Alles so kleinklein.

Dabei weiß Ihr Vater, dass der Faden, der ihn mit dem Leben verbindet, dünn geworden ist und leicht reißen kann. Und Sie wissen, mein lieber Freund, dass Sie sich mit Ihrer Frage schwer tun: Ob Sie denn wirklich alle Monate einmal ins Altenheim fahren müssen oder nicht?

Wie es im Innern der Menschen aussieht, die wie Ihr Vater die Grenze überschritten haben, die ins Niemandsland des Altwerdens führt – ein Land, das kein junger Mensch je gesehen hat, geschweige denn begreifen kann –, das ist von Dichtern beschrieben worden, mit schönen Worten, die gleichwohl einen betörenden, schmerzhaften Klang haben.

Die wichtigste Erkenntnis: Alles ist bei den Alten schon mal da gewesen. Was uns alljährlich neu verzaubert, verfehlt bei ihnen seine Wirkung, wird blass. «Selbst der Frühling trägt mir nicht mehr den schweren Hauch des Flieders zu», klagt Louis Aragon. Und erschütternd ein Satz aus dem Tagebuch des Nobelpreisträgers André Gide, dessen Seele eine Beute der Muße geworden war und die nun keine Ziele mehr kennt: «Schon lange habe ich aufgehört zu sein», schreibt er nieder, «ich nehme nur noch den Platz von jemand ein, den man für mich hält.»

Ich weiß nicht, wie es bei Ihrem Vater inwendig aussieht, aber dass er – jenseits der achtzig – die Schattenschwelle überschritten hat, hinter der sich der Mensch schon oft als vergangen ansieht, auch wenn er noch Gegenwart um sich hat, das ist leider zu vermuten. Und was bedeutet das alles für Sie, bezogen auf Ihre Frage, ob Sie nicht die Abstände zwischen den Besuchen etwas vergrößern können, ohne deshalb gleich ein «schlechter Sohn» zu sein?

Ich denke, Sie sollten Ihren Vater öfter besuchen als bisher, nicht seltener. Dann sammelt sich nicht so viel oberflächlicher Gesprächsmüll an, der zum Alltag nun einmal dazugehört: wie das Essen schmeckt, ob die Betreuung gut ist, ob die Rente reicht? Dann gewinnt man Zeit, zu wichtigeren Fragen vorzudringen, die mit Erfahrungen, Lebenssinn und Lebensangst zu tun haben.

Und so komme ich zum Schluss auf Ihr Gewissen zu sprechen, das Sie so gerne beruhigen möchten, und erinnere Sie an ein Wort von Abraham a Sancta Clara, wonach ein schlechtes Gewissen ein Hund ist, der allzeit bellt. Und dieser Hund wird bellen und bellen, dass Ihre Ohren dröhnen, dessen können Sie gewiss sein, sollten Sie versuchen, eine Beziehung zu verkürzen, nur weil das Alter sich da hineingeschlichen hat, das eines Tages unweigerlich auch zu Ihnen kommt. Dies nur nebenbei.

Macht kommt aus dem Tiefkühlfach des Lebens

Liebe Freundin, so ganz glücklich scheinen Sie nicht zu sein, wenn ich an das Gespräch zurückdenke, das wir kürzlich hatten, hoch über Hamburg, mit Blick in das spiegelnde Grünblau der Außenalster.

«Ein Panorama zum Verlieben», sagten Sie, doch es klang eher fragend, denn ich weiß: Ihre Sehnsucht gilt dem Süden, für einen Blick aus dem Fenster einer verwunschenen Pension in Venedig auf den Canale Grande würden Sie tausend Meilen laufen, wie Sie früher einmal sagten, italienverliebt, wie Sie sind.

Aber nun: Ihre Karriere hoch im Norden. Die oberste Sprosse auf der Leiter. Höher geht's nimmer. Im Wirtschaftsteil der Zeitungen ist Ihr Name mit großen Lettern in die Überschriften gerutscht. Ein paar hundert Schicksale sind Ihnen als Chefin anvertraut.

«Es weht ein verdammt kalter Wind in den Velours-Etagen», verrieten Sie mir, als ich zum Gratulieren kam, «und die Menschen um mich herum haben sich plötzlich alle so verändert.» Die Erkenntnis wurde Ihnen zur Gewissheit: Ich bin immer noch ich, aber für die anderen bin ich nicht mehr das Ich, das ich noch gestern war.

Selbst Ihre beste Freundin, die zwei Stockwerke tiefer als Sachbearbeiterin für Finanzen arbeitet und die Sie, tough, wie Sie sind, überholt haben auf dem Weg nach oben, schaut kaum noch auf einen Plausch bei Ihnen rein, bittet vielmehr «unnötigerweise» um einen Termin, hat die Unbefangenheit verloren, die Sie an ihr so mochten, «ist irgendwie anders».

Um es gleich zu sagen: Dies ist der Preis, den alle zahlen, die den Weg zum Olymp einschlagen.

Man kann nicht auf dem Thron Platz nehmen, aber Krone und Zepter verweigern. Wenn auch die Forderung nur allzu berechtigt ist, wonach Macht gar nicht milde genug aussehen kann, so bleibt eben Macht doch Macht, wie immer sie dekoriert wird.

Und die Frage eines Alexander Solschenizyn, der die Hölle des «Archipel Gulag» beschrieb, klingt zwar – in Kenntnis der Perversion der Macht – sehr zugespitzt, hat aber auch für uns im Alltag ihre Bedeutung: «Warum breitet sich Verstehen stets unterhalb der Macht aus?»

Wir sehen: Macht kommt aus dem Tiefkühlfach des Lebens. Macht gibt dir zwar die bestechende Möglichkeit, Dinge zu bewegen und zu verändern, aber die Meinungen der Menschen um dich herum verändern sich auch. Denn du bist Chef, stellst dem einen die Karriereleiter hin, ziehst sie dem anderen, wenn es nötig ist, auch schon mal unter den Füßen weg. So ist das Spiel des Lebens.

Es gibt nur einen Weg, liebe Freundin, dem Dilemma zu entkommen: Sie müssen Ihre neue Rolle annehmen, die Sie in den Augen der anderen jetzt innehaben. Quälen Sie sich nicht mit der Frage: Lieben mich die Menschen wirklich – oder lieben sie nur mein Image?

Sagen Sie sich: Es ist egal! So ist es eben, und so wird es immer sein, ganz gleich, ob ich es will oder nicht. Von dieser Minute an werden Sie kein Problem mehr haben.

Lassen Sie sich also nicht verwirren. Sie sind die Chefin, und wie die anderen Sie einordnen, das haben Sie nicht in Ihren zarten Händen, in denen Sie zurzeit – und sicher nicht auf alle Ewigkeit – die Macht halten.

Im Übrigen ist das Spiel nicht neu. Als Graf Metternich in den Fürstenstand erhoben wurde, fragte ihn sein Kammerdiener Giroux: «Werden Euer Durchlaucht den Rock anlegen, den gestern Euer Exzellenz trugen?»

Machen Sie es, wie es vermutlich Metternich machte: Tragen Sie den neuen Rock, und lassen Sie den alten im Schrank der Erinnerung.

Jung und Alt sind wie ein Zwillingspaar

Mein lieber Freund, als Sie gestern so nebenbei sagten, Sie möchten heute alles sein, nur nicht mehr jung – und dies ist ein Satz, den ich von vielen älteren Menschen in letzter Zeit öfter hören musste –, da wollte ich Ihnen gleich antworten, aber die Gelegenheit war dann doch nicht günstig, schließlich sollte es ja ein heiterer Abend werden.

Darum schreibe ich Ihnen, denn was Sie da sagten, klingt traurig. Sie haben zwar die sechzig überschritten, die siebzig aber noch nicht erreicht. Sie bewegen sich im Niemandsland des Alters, unebenes Gelände ringsum, zugegeben, auch Sturzgefahr. Man muss die Schritte vorsichtiger setzen, doch der Horizont ist noch weit – und der klare Geist unterscheidet sehr wohl den Sonnenaufgang vom Sonnenuntergang.

Warum also, ja warum also wollen Sie nicht mehr jung sein, gerade heute? Ich vermute in Erinnerung unserer früheren Gespräche: Die Welt ist Ihnen zu laut, zu schrill, das Tempo ist zu groß, die Veränderungen sind zu gewaltig. Vielleicht reichen die Kräfte nicht mehr hin, vielleicht glauben Sie, den Wellenschlag einer noch unerklärlichen Müdigkeit zu spüren.

Das alles ist, wie es so schön heißt, durchaus menschlich. Nicht jedem ist es vergönnt, das Jungsein im Herzen über die Altersgrenze hinauszuschmuggeln, so wie es Winston Churchill gelang, den ein junger Fotograf nach einigen Aufnahmen für eine Illustrierte bat: «Ich hoffe, ich werde das Vergnügen haben,

Sie an Ihrem 100. Geburtstag wieder fotografieren zu dürfen.» Churchill, an jenem Tag zweiundachtzig Jahre alt, antwortete knapp: «Ja gerne, junger Mann, vorausgesetzt, dass Sie bis dahin gut auf Ihre Gesundheit aufpassen.»

Wir sehen, alles im Leben ist relativ, und bei Altsein und Jungsein ist alles noch relativer, sodass es fast schon egal ist, wie relativ es ist. Für den einen ist das Alter eine große Sinfonie, in der alle Themen des Lebens noch einmal zusammenklingen; für den anderen ist es nichts als ein Spital, das alle Krankheiten aufnimmt, der weisen Worte gibt es viele.

Und wenn wir die Jugend betrachten, so gibt es auch da den weiten Flügelschlag: Jugend sei etwas Wunderbares, es sei nur schade, dass man sie an die Jugend vergeudet. Für den nächsten ist Jugend «Trunkenheit ohne Wein», wieder ein anderer sagt, es sei richtig, dass der Jugend die Zukunft gehört – aber bitte erst in der Zukunft.

Folgen wir gar dem Gedanken eines Pablo Picasso, dann ist das Verwirrspiel der widerstreitenden Meinungen über Jung und Alt perfekt. Das Genie hat für sich jedenfalls Erstaunliches herausgefunden: dass man nämlich im Leben sehr lange braucht, um jung zu werden …

Für Sie, lieber Freund, bedeutet dies alles: Steigen Sie noch heute aus der Achterbahn aus, die umso schneller rauf- und runtersaust, je mehr Sie über dieses Zwillingspaar Jung-Alt nachdenken. Sie spüren doch selbst tief in Ihrem Inneren am besten, wie dicht alles beieinander liegt.

Und wie war das vor ein paar Tagen in Venedig, lieber Freund? Sie haben mir doch selbst erzählt, wie glücklich Sie waren, nach achtstündiger Autofahrt – nonstop, wie Sie sagten – vor dem Dogenpalast zu stehen. Sie fühlten sich nach wochenlangem zermürbenden Hickhack in Ihrem Büro ausgelaugt. Und dann gab es plötzlich dieses berauschende Gefühl wieder entdeckten Lebens unter italienischer Sonne. Und das dumpfe Gefühl, nie mehr jung sein zu wollen, wich einem anderen: der Sehnsucht, die Schönheiten der Welt immer wieder umarmen zu können.

Hand aufs Herz: Waren Sie in Ihrer Jugend wirklich so oft so glücklich wie an diesem venezianischen Sommertag?

Geheime Signale im Party-Stimmengewirr

Lieber junger Freund, was soll ich jetzt noch sagen, da Sie nun oben angekommen sind, alle Mobbing-Hürden eines großen Betriebes mit Bravour genommen haben und jetzt von jenem Glanz umgeben sind, den Macht nun einmal verleiht – was soll ich Ihnen jetzt noch zum Glückwunsch sagen?

Vielleicht sollte ich Ihnen das Geheimnis Ihres Erfolges verraten, das Sie selbst vermutlich gar nicht kennen.

Ich erinnere mich, dass Sie ein hartnäckiger Partymuffel waren – und wohl immer noch sind. Sie konnten dieses Herumstehen mit einem Glas Prosecco in der Hand auf den Tod nicht leiden, dieses Herumirren zwischen Fremden, dieses Suchen nach einem bekannten Gesicht, um sich dann endlich doch noch in ein Gespräch einzufädeln – «Was, Sie auch hier?».

Und ich kenne Ihre Ansichten über Wert und Unwert solcher Kurzbegegnungen. «Zeitverschwendung, oberflächlich, Blödsinn» – Ihre Verachtung für das Partykarussell klingt mir noch im Ohr, in das Sie aber seltsamerweise doch immer wieder einsteigen. Umso mehr war ich erstaunt, jetzt zufällig zu erfahren, dass Ihre Karriere ausgerechnet auf einer solchen «nichtsnutzigen» Party begann, bei der Sie Ihren zukünftigen Chef kennen lernten, der nun in den Ruhestand ging.

Die Begegnung, ein paar Jahre liegt sie zurück, wurde damals nur von Menschen gestört, die das Buffet umlagerten, in dessen Nähe Sie sich postiert hatten, weil Sie sich an dem Gedränge der Gäste nach Hummer und Langusten ergötzen wollten. Dabei wurden dann doch noch wenigstens ein paar Gedanken gewechselt, und einer davon muss haften geblieben sein, denn sonst hätte sich Ihr zukünftiger Chef später nicht bei Ihnen gemeldet.

Er hat mir jetzt davon erzählt, und so weiß ich, was Sie ihm Erstaunliches gesagt haben – was dann Ihrem Leben die entscheidende Wendung gab.

Sie beklagten an jenem Abend das graue Einerlei Ihres Berufs, den Schatten der Langeweile, der sogar auf Ihr Privatleben fiel – weshalb Sie für ein paar Tage einmal alles das ausprobieren wollten, was sonst in Ihrem «spießbürgerlichen Dasein» nicht stattfand, wie Sie damals freimütig erzählten.

Also: Frühstück in einem Bistro in der Stadt – statt zu Hause. Ein Konzert mit moderner Musik, die Sie im Prinzip «grausam» für Ihr Harmoniebedürfnis finden. Sogar einen Bummel über die Meile St. Pauli konnten Sie sich vorstellen, Striptease-Schuppen inklusive, vor denen Sie sich eigentlich ekeln. Sie wollten sich auch aufs Motorrad des Sohnes schwingen, der schon immer einmal mit Ihnen durch den Stadtpark düsen wollte, um so den «inneren Schweinehund» zu überwinden.

Kurzum, vieles, was es in Ihrem Leben bisher nicht gegeben hatte, das wollten Sie nun wenigstens einmal ausprobieren.

Und genau dieser ungewöhnliche Wunsch war es, von dem Sie einem fremden Partygast erzählt hatten. So wurde seine Neugier geweckt. Und als dieser Mann einige Wochen später vor dem Problem stand, sich um einen Nachfolger zu kümmern, fand er Ihre Visitenkarte – den Rest kennen Sie.

Was lernen Sie aus dieser kleinen Geschichte? Bei solchen Abenden geht es nicht darum, in die Tiefen zu bohren, Gold zu schürfen, weltbewegende Weisheiten von sich zu geben, das Leben zu hinterfragen. Smalltalk ist Smalltalk, nicht mehr.

Aber wenn das Schicksal durch die Tür kommt, wenn doch einmal ein ehrliches Wort ins Stimmengewirr dringt und wenn dieses Wort dann auf offene Ohren trifft, kann dies sehr wohl der Beginn einer wunderbaren Bekanntschaft sein, wie Sie es erlebt haben. Man muss eben nur die richtigen Leute zur richtigen Zeit in der richtigen Stimmung treffen und hellwach sein, wenn sich ein Partygeschwätz innerhalb weniger Augenblicke in ein Gespräch verwandelt, das – wenn es offen und ehrlich geführt wird – nach alter orientalischer Weisheit der Garten Eden auf Erden ist.

Ich hoffe, dass Sie nun als Chef ebenso genau hinhören, wenn jemand, der mehr leisten möchte, als er kann oder darf, geheime Signale aussendet, wie Sie es ungewollt getan haben.

Hoch über den Wolken müssen doch Engel sein

Nein, wir staunen nicht mehr. Wir sitzen in der Maschine nach New York, Reihe drei, Fensterplatz, ausgebucht – und vom Reisebüro bestätigt. Wir genießen ein erlesenes Menü, wir spielen eher gelangweilt an der Videoanlage, die auf Knopfdruck wie ein Klappmesser aus der Armlehne springt, ziehen uns einen Film rein, dem ein Nickerchen folgt, ehe wir uns an der Passkontrolle wieder finden.

Vielleicht kam einmal über Neufundland etwas Angst auf, als wir durch eine Zone leichter Turbulenzen mussten, aber da war schon die tiefe, vertrauensvolle Stimme des Captains, dass wir uns in unserem Stahlkäfig gleich wieder sicher fühlten.

Triumph der Technik, weit entfernt von dem, was uns die letzten Abenteurer der Lüfte erzählen, sobald sie wieder die gute alte Erde unter den Füßen haben. Wie jetzt die beiden Ballonfahrer, die einmal den Globus umrundeten.

Eine gigantische Leistung, aber keine Spur von Hochmut. «Man kann nicht sagen, dass es nur ein Sieg der Menschen war», sagte ganz bescheiden Bertrand Piccard vor einer Woche, womit er nicht nur sich selbst und seinen Co-Piloten Brian Jones, sondern auch das Team im Genfer Kontrollzentrum meinte, das mit Hilfe von Computern per Funk den Ballon von einem Jetstream in den anderen dirigierte.

Sie spürten es – und sie sagen es jetzt auch: «Wir waren nicht allein in der eisigen Höhe von elftausend Metern. Die Engel flogen mit uns. Eine unsichtbare und geheimnisvolle Hand hat uns während der ganzen Zeit der Fahrt geführt» – durch alle Gewalten der Natur hindurch bis zur Landung in Ägypten.

Vielleicht muss man sich über diese geschundene Erde erheben, damit die in uns schlummernden Gefühle wach werden, die mit Demut zu tun haben. «Auf welch winziger Bühne rollt das große Spiel des menschlichen Hasses, der menschlichen Freundschaften und Freuden ab», schrieb erstaunt der Dichter und Flieger Antoine de Saint-Exupéry in dem wunderbaren Buch «Wind, Sand und Sterne». Denn, was sind unsere Kultur und Zivilisation von oben betrachtet? «Nichts als eine dünne Vergoldung dieser Erde, die ein Vulkanausbruch zerreißen oder ein Sandsturm begraben kann.» Oder die ein Krieg todbringend vernichtet.

Und erinnern wir uns an den Astronauten James Irving, einen der ersten Männer auf dem Mond, der nach seiner 360 000-Kilometer-Reise sagte: «Der Flug lehrte mich, wie zerbrechlich die Welt im Grunde genommen ist.»

Erst in der Einsamkeit der Kraterlandschaft spürte er, was ihm zuvor auf der übervölkerten Erde nicht so klar geworden war: Gottes Schöpfermacht und Allgegenwart. «Der größte Tag der menschlichen Geschichte war nicht, als der erste Mensch den Mond betrat, sondern als Gottes Sohn auf die Erde kam.»

Das sind alles Worte wie gemeißelt. Sie wurden gedacht dort oben am Himmel, der Erde entrückt, die eine winzige Bühne abgibt für die Spiele des Hasses, die wir Erdenkinder uns immer noch leisten. Sogar hier in Europa, wo wir glaubten, die Kostbarkeit des Friedens fest und dauerhaft verankert zu haben.

Dichterpilot, Astronaut und nun Ballonfahrer – sie alle verbindet, über Jahrzehnte hinweg, ein Dreiklang der Gefühle: Geht mit dieser Erde behutsam um, bedenkt, dass auch euer eigenes Leben zerbrechlich ist.

Und wenn ihr nach New York fliegt oder sonstwohin, ob Business- oder Touristenklasse, ob vorausgebucht oder «last minute» – lasst euren Gedanken freien Lauf, über den Wolken soll ja die Freiheit grenzenlos sein. Und sollte euch dann eine innere Stimme leise fragen, ob nicht vielleicht auch bei einem ganz normalen Linienflug die Engel, wie bei den Ballonfahrern, mit euch unterwegs waren … lasst sie gewähren.

Staunend muss ich stehn …

Nichts ist mehr, wie es einmal war. Wir sagen es, wir denken es, wir fühlen es. Seit sich zwei Flugzeuge, vom Hass gesteuert, in die Wolkenkratzer von Manhattan bohrten, sind unsere Augen geblendet. Und weil Weihnachten vor der Tür steht, fragen wir uns: Wird auch dieses Fest nicht mehr so sein, wie es einmal war?

Es gibt eine Geschichte von zwei Mönchen. Ich hörte sie vor vielen Jahren in der Michaeliskirche in Hamburg. Die Mönche brechen auf, um ein Haus zu suchen, in dem nach der überlieferten Legende Gott wohnen soll. Ein Haus, in dem sich Himmel und Erde berühren – welch eine Verheißung! Die Mönche kämpfen bei ihrer langen Wanderschaft mit Schmerzen und Entbehrungen. Schließlich kommen sie an ihr Ziel, stehen müde und erschöpft vor dem Gebäude, drücken die Klinke nieder – und finden sich wieder dort, von wo aus sie aufgebrochen sind: in ihrer Mönchszelle. Gott ist genau da, wo er dich hingestellt hat – so lautet die Botschaft der Legende. Vorgetragen wurde sie damals von dem Schauspieler Heinz Rühmann, der vom Starnberger See alljährlich in den Norden kam und mit leiser Stimme weihnachtliche Texte sprach. Er wollte uns sagen: Hetzt nicht durchs Leben, glaubt nicht, dass Gott irgendwo anders wohnt – er ist bei euch.

Die Botschaft war nötig, denn wir Kinder des Wirtschaftswunders hatten den Sinn von Weihnachten schon zu oft aus den Augen verloren. Es gab damals Weihnachtsflüchtlinge, die nach Gran Canaria düsten, die Sonnenschein suchten statt Kerzenschein. «Selbstverwirklichung», lautete die Lebensformel.

Die Veränderungen rund um Weihnachten kamen in kleinen Schritten und erstreckten sich über Jahrzehnte. Mein Vater schmückte den Baum einen halben Tag, hängte die silbernen Lametta-Fäden einzeln auf. Von meinem Großvater in Dessau berichtet die Familienchronik, dass er die beiden Tannen im Salon und Esszimmer schon eine Woche vor der Bescherung zu schmücken pflegte. Und mein Urgroßvater, der in Husum lebte und ein leibhaftiger Poet war, zauberte die Weihnachtsstimmung aus wochenlanger Vorbereitung herbei. Er dichtete: «Ein frommer Zauber hält mich wieder, anbetend, staunend muss ich stehn: Es sinkt auf meine Augenlider ein goldner Kindertraum hernieder – ich fühl's, ein Wunder ist geschehn.»

Schwer vorstellbar, dass solche Zeilen heutzutage geschrieben und gedruckt werden. Oder vielleicht doch? Ich habe mich umgehört, Freunde befragt, auch Fremde. Sie alle sagen, dass sie sich «wie noch nie» auf Weihnachten freuen. Auf die Stille. Die Geborgenheit. Man will nicht mehr das Fest mit dem kleinsten, seelischen Aufwand schnell über die Runden bringen, weil es die Tradition gebietet.

Auch die Freude am Schenken kommt zu uns zurück. Von all den Gedanken, die es zu diesem Thema gibt, gefällt mir jener am besten, den der französische Flieger-Dichter Antoine de Saint-Exupéry so wunderbar formulierte: «Schenken ist ein Brückenschlag über den Abgrund der Einsamkeit.»

Natürlich können Geschenke ihren Zauber nur entfalten, wenn sie mit Liebe ausgesucht werden. Und wenn derjenige, der beschenkt wird, nicht mit dem Ausruf «Das war aber nun wirklich nicht nötig!» den Zauber zerstört, der sich gerade entfalten will. Es ist ein Zeichen von Lebenskunst, Liebe auch annehmen zu können.

Weihnachten findet in einer Welt statt, die den großen Frieden noch immer nicht gefunden hat. Umso mehr sehnen wir uns nach dem kleinen Frieden, der wenigstens ein, zwei, vielleicht drei Tage hält. Wir wissen aber auch: Dieses Fest der Liebe, das allen Menschen Wohlgefallen bringen will, hat in zweitausend Jahren alles überstanden: Kriege, Revolutionen, Hungersnöte, Diktaturen, Terror, Elend und Not ohne Ende – und sogar die Übertreibungen einer glitzernden Konsumgesellschaft. Ja, Weihnachten ist das Fest, das immer alle Widerstände überwunden hat, es ist das widerständigste Fest, das es gibt.

Diamantene Hochzeit

Geheimnis Ehe. Kein Geheimnis ist größer, kein Geheimnis kommt diesem gleich, es ist wahrlich «das höchste Geheimnis», wie der Frühromantiker Novalis jubelte. Da mag über eine Liebesbeziehung getuschelt und geschrieben werden, was will – die Ehe bleibt ein Land, das kein Fremder je betreten kann, das nur dem Mann und der Frau gehört, das selbst den eigenen Kindern in seinem tiefsten Kern verschlossen ist.

Und auch die unersättlichen Medien, ständig neugierig auf das Geheimnis der so genannten glücklichen Prominenten-Ehen, klopfen vergebens an die Pforten, sie mögen ihre Scheinwerfer noch so weit aufdrehen, sie tasten doch immer nur die spiegelnde oder bröckelnde Fassade ab.

Aber gleichwohl: Wenn ein Mann wie der ehemalige Bundeskanzler Helmut Schmidt mit seiner Loki das unglaubliche Fest der diamantenen Hochzeit feiert, dann wächst ganz einfach der Wunsch, Genaueres zu erfahren.

Diamantene Hochzeit? Klingt das nicht wie ein Märchen aus versunkenen Welten? In unserer Ich-will-Spaß-haben-Gesellschaft, in der jede dritte Ehe scheitert, oft unter Schmerzen für die Familien zerbirst, erscheint eine diamantene Hochzeit wie eine Oase in der ausgedörrten Landschaft.

Denn dass die Liebe währen möge, «bis dass der Tod uns scheidet» – und nicht das Geld oder die Selbstverwirklichung, wie so oft heute –, das erscheint den meisten Menschen unzumutbar, ja unwirklich, auch wenn sie im Unterbewusstsein durchaus spüren, dass ihnen vom Schicksal etwas sehr Kostbares vorenthalten wird.

Die freche Frage, wie es ihm möglich gewesen sei, mit derselben Frau über sechs Jahrzehnte verheiratet zu sein, empfand Helmut Schmidt als obszön. «Es liegt mir nicht, darauf zu antworten», sagte er nur; auch prominente Politiker müssen nicht jede Zudringlichkeit in einem Interview erdulden.

Also bleibt nur die Spurensuche. «Man hat ihn ja mal geheiratet, weil er so ist, wie er ist», gab Loki mit hanseatischem Understatement zu Protokoll und öffnete damit ungewollt einen Spalt jener Tür, die zum Geheimnis von sechzig Jahren Zusammenleben führt.

Das Wort Liebe ist zwar in diesem Satz nicht enthalten, aber es ist Liebe, wenn ein Mensch den anderen nicht verändern will, sondern ihn so nimmt, wie Gott ihn gemeint hat.

Loki Schmidt war die «Frau an seiner Seite» – aber kommt jemand deshalb auf die Idee, bei dieser Vokabel und bei dieser Frau etwas von Unterordnung, gar Verzicht auf eigenes Leben innerhalb des gemeinsamen Lebens herauszuhören?

«Ich habe immer Distanz gehalten», verriet Loki weiter, «ich habe aber auch immer seine Nähe gesucht in einer gesunden Balance.» Und sie glaubt, beobachtet zu haben, warum so viele Ehen zerbrechen: «Die einen klammern zu sehr, die anderen fliehen zu häufig.»

Und ganz undenkbar waren für sie die heute so in Mode gekommenen quälenden «Beziehungsgespräche» in den so genannten «Beziehungskisten». Es sei «liebestötend», den Mann ständig zu fragen, wann er abends nach Hause kommt, erzählte sie dem «Hamburger Abendblatt».

Auch die «Partnerschaft» in der Ehe ist für Loki nie ein Thema gewesen. Partnerschaft ist fürs Geschäftsleben. Freundschaft gefällt ihr schon besser. «Aber eigentlich muss es für eine Ehe mehr geben» – und damit sind wir wieder beim Mysterium diamantene Hochzeit. «Jedes Jahr wird unsere Ehe fester», sagt die Frau nur, und damit soll es sein Bewenden haben.

Aber dann gibt es doch noch einen wunderbaren und verräterischen Satz. In ihm schwingt die liebevolle Sorge mit, die nur jene verstehen können, die die höchsten Stufen des Alters erklommen haben. «Wenn wir getrennt sind, rufen wir jeden Abend an, um zu wissen, ob der andere noch da ist.»

Mein Gott, wie alltäglich und schmucklos klingt dieser Satz und wie schön ist er in seiner Sehnsucht nach Geborgenheit. Wenn das nicht Liebe ist, was dann?

Was nur eine Mutter geben kann

Eine Notiz, die das Herz bewegt. Und eine wunderbare Botschaft. Am 10. März des Jahres 1906 schrieb Tolstoi in sein Tagebuch, dass sich ein dummes und trauriges Gefühl seiner bemächtigt habe. «Gegen Abend verwandelte sich dieser Seelenzustand in Verlangen nach Liebkosungen, nach Zärtlichkeit.»

Der große Dichter mit der einsamen Seele wünschte nichts so sehr, «als sich an ein mitfühlendes Wesen zu drängen, zu weinen vor Sanftheit und sich trösten zu lassen». Und dann notierte er weiter: «Ich wollte ganz klein werden und mich meiner Mutter nähern, so wie ich sie mir vorstelle.»

Der Grund für diese überraschende Bemerkung «wie ich sie mir vorstelle»: Tolstois Mutter war gestorben, als der kleine Leo Nikolajewitsch gerade zwei Jahre alt war.

«Du, Mama, nimm mich in den Arm, streichle mich», schrieb er weiter in sein Tagebuch. Da war Tolstoi immerhin ein Mann im hohen Alter, genau achtundsiebzig Jahre, im Winter des Lebens, von Melancholie erfüllt.

In einem solchen Augenblick überfiel ihn die Sehnsucht nach jener Liebe, die nur ein Mensch unter Milliarden Menschen zu geben vermag: die Mutter. Nicht die Frau, Geliebte, Schwester, nicht Vater, Bruder, Sohn. Man muss kein Dichter sein, um die Botschaft dieser Notiz zu verstehen: Mutterliebe ist mit keiner anderen Liebe vergleichbar, Mutterliebe ist unwandelbar, sie ist da, wenn du sie brauchst, sogar über den Tod hinaus. Sie ist kostbar, aber – und das ist die Frage dieses Tages – ist uns das auch immer bewusst?

Ist der Muttertag nicht total altmodisch?

Mein Gott, nicht schon wieder Muttertag! Nicht schon wieder den rosaweißen Flieder, den Mutter so liebt, schnell vorbeigebracht oder per Fleurop ins Haus geschickt – oder ins Heim, wo Mutter sitzt und auf Zeichen der Liebe ihrer Kinder wartet und wartet und wartet. Nein, diese Liebe auf Knopfdruck, nur weil ein normaler Sonntag zum «Muttertag» hochgestemmt wird – was soll sie wert sein?

Ist nicht eigentlich immerzu Muttertag, weil wir Kinder doch unsere Mütter lieben, auch wenn wir es ihnen nie oder selten oder nur zu Weihnachten zeigen? Mutter weiß das doch, da muss ich mich doch nicht verrenken.

Überhaupt, wenn ich die schicken jungen Mütter sehe, die mit einer Babykarre vor sich her durch unsere Straßen skaten, dann frage ich mich schon: Kann man diese modernen Frauen überhaupt mit einem Muttertag beglücken? Ist das nicht total altmodisch? Überholt vom coolen Zeitgeist?

Und ist ein so wunderbarer Vers wie der von Tucholsky «Mutterns Hände» nicht auch nur noch antiquarisch zu verstehen? «Hast uns Stullen geschnitten / un Kaffe jekocht / un de Töppe rübajeschohm, un jewischt un jenäht / un jemacht und gedreht / un alles mit deine Hände.»

Aber irgendwann, in einer klitzekleinen Minute dieses Muttertages, werden selbst Spötter dann doch nachdenklich, weil sie insgeheim wissen: Wenn wir einmal verzweifelt sind, Liebeskummer uns plagt, Ängste uns bedrohen, wenn wir jemanden suchen, der an uns denkt und nicht an sich selbst wie alle anderen Menschen um uns herum – dann ist da nur ein Mensch: die Mutter.

«Der Mutter kommt kein kühler Schatten gleich, der Mutter kommt keine Zuflucht gleich, der Mutter kommt kein Schutz gleich, der Mutter kommt keine – Liebe gleich.» Das steht zwar in uralten Schriften – stimmt aber trotzdem!

Die hohe Schule eines Meisters der Freundschaft

In Freunden suchen wir, was uns selbst fehlt, heißt ein kluges Wort. Heute überlege ich, was ich bei einem meiner besten Freunde immer gesucht und gefunden habe: die hohe Schule der Freundschaft – und ich kenne jetzt auch das Geheimnis, warum er der Freundschaftsmeister ist.

Da ist einmal sein Mut, sich zum Alter zu bekennen. Kein Jugendwahn. Kein Herumgezittere, wenn die Frage kommt: Wie alt bist du eigentlich? Vielmehr zum Alter stehen. Er tat es mit sechzig, siebzig, fünfundsiebzig. Mein Freund macht da kein Gedöns, setzt vielmehr sein breites Lachen auf und sagt: Nun werd ich achtzig – na und? Die erste Erkenntnis also: nicht mit dem Älterwerden hadern.

Mein Freund ist nie wehleidig. Gewiss, es gibt hier und da ein Zipperlein. Aber wenn es ernst wird, steuert er das Problem frontal an. Kaum sagt der Arzt: «Mit Ihrer Hüfte sieht es problematisch aus», da hat er, schwupp, schon den Operationstermin. «Mit Heilkräutern und Heizkissen kann ich doch keine maroden Knochen heilen.» Erkenntnis Nr. 2: Krankheiten möglichst für sich behalten.

Immer habe ich bewundert, wie unglaublich präsent mein Freund ist. In seiner Nähe spürt man eins unbedingt: Gegenwart. Kein Herumstochern in der Vergangenheit, kein Spintisieren, was die Zukunft angeht. Er ist für mich die Verkörperung von hier und heute, das ist wohltuend.

Ich weiß bei aller Freundschaft auch nach Jahrzehnten nicht, ob mein Freund in der Tiefe seiner Seele gläubig ist. Ich will es auch nicht wissen. Aber ich weiß, dass er in die Schule der Zen-Mönche gegangen sein könnte.

«Wenn ich stehe, dann stehe ich; wenn ich gehe, dann gehe ich; wenn ich esse, dann esse ich; wenn ich spreche, dann spreche ich», antwortete ein solcher Mönch auf die Frage, wie er es schaffe, immer so konzentriert zu wirken.

«Das tun wir doch alle auch», sagte sein Gesprächspartner.

»Nein», antwortete der Mönch, «wenn ihr sitzt, steht ihr schon; wenn ihr steht, lauft ihr schon; wenn ihr lauft, seid ihr schon am Ziel.» Die Krankheit dieser Zeit: immer woanders sein zu wollen, als man gerade ist. Mein Freund widersteht dieser Krankheit.

Eine weitere Erkenntnis habe ich unserer Freundschaft abgewonnen: Hat man Wünsche oder Pläne – nicht zaudern und zögern, sondern buchen! Die Studienreise, das Theater, den Vortrag immer erst mal buchen. Absagen kann man immer noch. Aber hat man erst einmal gebucht, kommt nur noch selten was dazwischen. Das Leben wird reicher, bunter, lebendiger.

Natürlich ist mein Freund in seinem hohen Alter manchmal müde. Aber er zeigt es nicht. «Die Leute interessiert in Wahrheit doch gar nicht, wie es inwendig bei dir ausschaut.» Man muss nur die Illusion ablegen, es sei anders.

Mein Freund, seit einigen Jahren Witwer, ist auch in dieser Rolle ein Meister. Er wartet nicht, eingeladen zu werden, wie so viele, die im Schatten des Lebens einsam werden. Er lädt selbst ein! «Wer allein lebt, muss doppelt geben», sagt er. Die Erkenntnis ist simpel: in der Freundschaft selbst aktiv werden!

Über seine Ehe spricht er nicht. Diese Vergangenheit ist versiegelt. Und wer versucht, das Siegel mit neugierigen Fragen aufzubrechen, wird mit Schweigen bedacht. Auch das kann man von ihm lernen: um sich Raum zu schaffen, der einem allein gehört, den niemand betreten darf.

Spötter sagen: Alle Menschen wollen alt werden, keiner will es sein. Mein Freund ist anders. Er weiß, dass er achtzig wird, steht dazu, lacht und lebt nach der Devise: Noch keiner starb in der Jugend, der bis zum Alter gezecht.

Denn das vergaß ich noch zu sagen: Für einen guten Tropfen war sich mein Freund nie zu schade. Auch das gehört zu diesem Lebenskünstler!

Ein Strahlemann, der sein wahres Leben versteckte

Sie wollte das Buch schon zu all den anderen aussortierten Sachen legen, die der Nachlass-Service am Nachmittag abholen würde. All diese Dinge, die Stück für Stück an ihren Vater erinnerten – Bilder, Anzüge, Möbel, Krimskrams jeder Art.

Die Auflösung seiner Wohnung, die bittere Stunde in ihrem noch jungen Leben, ging gleich dem Ende entgegen, da fiel ihr jenes Buch in die Hände, das sie bei ihrem Vater am allerwenigsten vermutet hätte – der Millionen-Bestseller «Sorge dich nicht – lebe!».

Als ob ihr Vater solche Glücksrezepte je nötig gehabt hätte! So hielt die Tochter das Buch für einen Augenblick unschlüssig in den Händen, begann dann aber doch, von einer Eingebung getrieben, die sie sich später nicht erklären konnte, in den Seiten zu blättern – und erschrak.

Ihr Vater, von dem sie als Kind immer geglaubt hatte, dass er die Welt aus den Angeln heben könnte, der an allen vorbeirauschte, mit denen er in seinem Beruf als Steuerberater in einer großen Kanzlei konkurrierte – ihr Vater also hatte doch tatsächlich ein solches Buch nicht nur gelesen, sondern Seite für Seite durchgearbeitet, Unterstreichungen einzelner Passagen zeugten davon.

Sorge dich nicht – lebe! Schon im Titel wurde versprochen, zu einem von Ängsten und Aufregungen befreiten Leben zu finden. Das war doch nun das Letzte, was ihr Vater – ihr «Super-Vater» – nötig hatte, der mit seiner Lieblingsvokabel «Das kriegen wir schon auf die Reihe» jedes, aber wirklich jedes Problem gelöst hatte.

Und nun der Schock. Denn ihr Vater hatte mit Rotstift unterstrichen: Tipps gegen Depressionen, Schlaflosigkeit, Todesangst. Tipps im Umgang mit dem Chef, Tipps, wie man den Krebs psychisch im Keim erstickt. Und – doppelt unterstrichen – dass der weise Mahatma Gandhi nach seinen eigenen Worten ohne seine täglichen Gebete längst zusammengebrochen, ja wahnsinnig geworden wäre.

«Beten!, Beten!», hatte Vater an den Rand geschrieben, gleichsam als Auftrag an sich selbst, auch rot markiert. Ihr Vater, der höchstens Weihnachten zum Kirchgang zu bewegen war!

Und dann gab es da noch den Satz auf Seite 166: «Kein Mensch auf der Erde ist so wie Sie!»

Eine «Binse», aber auch markiert, als ob Vater es nötig gehabt hätte, zu sich selbst zu finden. Hatte er nicht immer über die Selbstverwirklichungs-Seuche geschimpft, die heute über die Menschen gekommen sei wie Pest und Cholera?

Und plötzlich, in der Einsamkeit der kleinen Wohnung, kamen ihr die Ängste, Sorgen, Verzweiflungen zum Bewusstsein, die ihr Vater vor der Familie, aber auch vor allen Freunden versteckt haben musste, um umso überzeugender den Strahlemann geben zu können in dem Drama, das wir unser Leben nennen. Bis er am Herzinfarkt zusammengebrochen war, nur dreiundfünfzig Jahre alt, gefällt wie ein Baum.

Für einen Augenblick verfluchte sie sich selbst, dass sie – unfreiwillig?, neugierig? – in die verborgenen Seiten im Leben ihres Vaters eingedrungen war, dass sie ungewollt die Chiffren seiner Existenz aufgebrochen hatte. Aber es war geschehen.

Und als sie spätabends ihre Mutter traf, sagte sie nur: «Vater hatte es in seinem Leben und in seinem Beruf wohl doch nicht so leicht, wie er uns immer weismachen wollte.»

«Aber er tat es gewiss aus Liebe, er wollte uns sicher nur schonen», antwortete die Mutter. Und die Tochter wusste augenblicklich: Dieser Satz war der einzige Trost in all ihrer Trauer.

Schwarze Balken im Kalender

Gestatten Sie, dass ich mich vorstelle. Ich bin der November. Ich bin ein grauer, verwitterter Bursche. Ich war elf lange Monate in der Abstellkammer, aber nun bin ich wieder da. Und Sie müssen mich ertragen, dreißig Tage lang.

Ich weiß aus Erfahrung, aber auch kraft meiner Beobachtung, wenn ich mich selbst vor dem Spiegel sehe.

Sie mögen mich nicht, zu traurig ist meine Erscheinung, nichts von alldem habe ich Ihnen zu bieten, was meine anderen elf Geschwister ihnen so großzügig schenken: blauen Sommerhimmel, den Glanz des Meeres, warme Nächte, die man umarmen möchte. Vor allem nenne ich hier den Mai, den Mozart des Kalenders, den ich hasse, weil ich weiß: Den mögen Sie alle besonders gern.

Ich hingegen bin etwas Spezielles, geliebt nur von ganz wenigen, die dem Herbst, wenn er am dunkelsten ist und in den Winter mit Frost und Schnee hinübergleitet, doch noch einen Reiz abgewinnen können: Menschen, die durchs raschelnde Laub der Wälder laufen, die ihrem Atem in der Kälte nachschauen, die zu Hause die Kerzen anwerfen und Heimeligkeit suchen. Aber es sind, weiß Gott, nur wenige, die novembersüchtig sind.

Denn, ehrlich gesagt, was biete ich den Menschen? Ich biete ihnen vor allem eins: den Glockenschlag des Schicksals, die Erinnerung an die Vergänglichkeit des Lebens. Volkstrauertag,

Totensonntag, schwarze Balken im Kalender. Die Ermahnung, nie zu vergessen, dass wir alle, mögen wir uns sonst auch in einer voll ausgelebten Individualität spreizen und zieren, am Ende einer einzigen Gemeinschaft angehören: der großen Sterbensgemeinschaft aller Menschen.

So ein Monat muss gefühlsmäßig durchgestanden werden.

Ich verstehe, dass ich in den Charts des Kalenders den letzten Platz halte. Der Dezember ist zwar noch dunkler als ich, aber er kommt wenigstens mit ein paar Knallern daher – Advent, Marzipan, Karpfen, Nüssen, Weihnachten und festlichem Silvesterbrillantfeuerwerk.

Nein, novembersüchtig ist kaum einer, ich sagte es schon, zumal es das jäh aufsteigende Gefühl gibt, das zu Ende gehende Jahr sei wieder wie verrückt gelaufen. Und wenn wir die letzten Blätter vom Kalender zupfen, der uns im Januar so prall voller Möglichkeiten erschien, fragen wir uns schon mal: Was halten wir nun wirklich zum Schluss in unseren Händen?

November-Melancholie. Das geschärfte Bewusstsein für die dahineilende Zeit. Die letzten Termine, verschobene Einladungen, Steuererklärungen, abgehakt dies alles und vergessen. Grauenvoll sei es, klagt Hugo von Hofmannsthal, «dass alles gleitet und vorüberrinnt». Ja, wir haben den Regenbogen des Sommers wieder nicht fassen können!

In einem Theaterstück lässt der Dichter eine Frau fragen: «Was soll denn die Welt mit einer Person anfangen, wie ich bin?», der verzweifelte Hilferuf einer anonymen Seele inmitten einer zunehmend anonymer werdenden Welt.

Und dann folgt der Schlüsselsatz, den die große Schauspielerin Elisabeth Bergner bei der Münchner Uraufführung 1921 zum ersten Mal sprach: «Für mich ist der Moment gar nicht da, ich stehe da und sehe die Lampen dort brennen, und in mir sehe ich sie schon ausgelöscht.»

Nur ein Dichter der großen Gefühle kann – hingerissen von der Vergänglichkeit – mit Worten umschreiben, was wir alle mal stärker, mal schwächer auch empfinden: dass die Lampen, die uns vor allem die Politiker mit ihren Versprechungen hingestellt haben, in unseren Augen schon längst ohne Widerschein sind, weil sie gar nicht brennen.

Ich bin der November. Ich komme mit zentnerschwerem Gepäck. Sie sollten sich nicht nur warm anziehen, sondern auch etwas Gutes gönnen. Zuneigung schenken, Liebe geben, Nähe suchen – das sind die Rezepte aus der Hausapotheke der Jahrtausende Jahre alten Philosophie-Erfahrung. Anderes gibt es nicht.

Sehnsucht oder schlechtes Gewissen? Was Weihnachtsgrüße verraten

Lieber Freund, ich sehe Sie in Gedanken vor mir, es ist Sonntagmorgen, der Tag vor dem Fenster ist dunkel, um Sie herum ist eine Stille, die nur dieser Tag schenkt. Ihre Frau hat Ihnen ein Stück Stollen hingestellt, es ist der mit dem Marzipan, den Sie sich heute genehmigen, der Figur zum Trotz. Und es gibt auch eine zweite Tasse Kaffee, gegen jeden ärztlichen Rat, aber Ihre Frau weiß ja: Heute müssen Sie hellwach sein, heute ist Ihr «Großkampftag». Heute wollen Sie die Weihnachtspost erledigen, oder zumindest den ersten Schub.

Sie sitzen also da und schreiben. Wie Millionen andere auch, die sich ebenfalls entschieden haben, doch noch einmal weihnachtliche Grüße zu verschicken, obwohl sie im vergangenen Jahr fluchten: Nächstes Mal steige ich aus, man muss auch mal mit einer Tradition brechen können, ich mach den ganzen Rummel nicht mehr mit. Denn was bedeuten sie schon wirklich, all diese vorgestanzten Karten in Gold und Silber, mit den Krippen- und Kirchen-Motiven, mit abgebildeten Rauschgoldengeln und Weihnachtsmännern, diese Einheitswünsche auf gehämmertem Bütten und diese teuren Klappkarten, die so viel freien Raum bieten – da muss man sich ja noch etwas einfallen lassen, etwas Persönliches und Sinniges –, wie anstrengend das alles sein kann, wenn man kein geübter Briefschreiber ist!

Als wir kürzlich miteinander telefonierten, fragten Sie mich, was ich von diesem «Weihnachtsrummel» halte. Und ich verblüffte Sie, als ich sagte: Ich finde diesen Rummel aus einem ganz besonderen Grund wunderbar. Weil Weihnachten uns die Gelegenheit gibt, Menschen zu zeigen, dass wir an sie denken.

Auch wenn wir uns sonst nicht trauen, jemandem Sympathie zu zeigen, Weihnachten ist es legitim, dem Nächsten wenigstens mal postalisch nahe zu sein. Aber bitte nicht mit einer schnell hingeschmierten, manchmal sogar unleserlichen Unterschrift, was immer noch geschieht – da kann man sich das Porto gleich ganz sparen.

Lieber Freund, ich habe die Post, die mich im vergangenen Jahr erreichte, aufgehoben und jetzt noch einmal gelesen. Das Wichtigste, was mir auffiel: Fast in jedem zweiten Gruß hieß es, «wir müssten uns im nächsten Jahr endlich öfter sehen als im abgelaufenen Jahr». Was spiegelt sich da? Schlechtes Gewissen über versäumte Gelegenheiten?

Für mich spricht aus diesem Wunsch eine Sehnsucht, die besagt: Es sind nur die Umstände unseres gehetzten Lebens, die verhindern, dass wir eine Beziehung, eine Freundschaft so ausleben, wie wir es uns im Grunde unseres Herzens wünschen.

Am schönsten ist es natürlich, wenn man Weihnachten zum Anlass nimmt, all jenen einen Brief zu schicken, die von uns zu Recht mehr erwarten als ein schnelles «Hallo».

Nach Goethe ist ein Brief «der schönste und unmittelbarste Lebenshauch eines Menschen», nach Elias Canetti ist niemand einsamer als ein Mensch, der niemals einen Brief bekommen hat.

Natürlich kann man nicht jedem in seinem Bekannten- und Freundeskreis einen solchen Brief schreiben, der seelische Verkrustung aufbricht. Aber dass es den einen oder anderen gibt, dem ein solcher Brief mehr bedeuten würde als ein Geschenkkorb aus dem nächstbesten Delikatessengeschäft, wer wollte das bezweifeln?

Wir sehen also, lieber Freund: Die Weihnachtspost hat nichts mit Routine zu tun. Sie erfordert wenigstens für einen Augenblick das Hineinversenken in denjenigen, den man mit seinem Gruß erfreuen will.

Und schließlich: Weihnachtsgrüße verraten auch etwas über einen selbst. Man kann schon behaupten: Sage mir, wie deine Weihnachtsgrüße beschaffen sind, und ich sage dir, wer du bist.

Haben Sie in diesem Sinne eine schöne Weihnachtszeit!

«Hoffentlich sehen wir uns bald»

Nun werden wieder die Weihnachtskarten kommen, die vorgestanzten mit den maschinell erstellten Grüßen, die mühsam zu entziffernden Karten mit einer hingeschmierten unleserlichen Unterschrift, die Klappkarten, die Raum bieten für eine persönlich gehaltene Botschaft – und was dort geschrieben wird, lautet meistens so: «Frohes Fest – und ich hoffe, wir sehen uns bald einmal wieder.»

Ich komme darauf, weil ich zufällig zwischen Christbaumschmuck und Lametta im Keller die Post des vergangenen Festes wieder gefunden habe – und bei der Lektüre entdeckte ich bei fast jedem Weihnachtsgruß diese Floskel, die auch lauten kann:

«Ein Jammer, dass wir uns so selten sehen.» Oder: «Ich melde mich bestimmt im neuen Jahr.»

Wie liebevoll ist diese Botschaft – und wie hilflos zugleich! Denn ich habe nachgeschaut: Von zwölf Freunden und Bekannten, die zum Jahresausklang 2001 diesen Wiedersehenswunsch äußerten, haben nur zwei dem Versprechen in den letzten zwölf Monaten die Tat folgen lassen.

Was bedeutet das? Es bedeutet, dass wir Gefangene unserer Wünsche sind, dass wir wie ein Artist alle Bälle in der Luft halten möchten, dass möglichst keine Bekanntschaft in die Brüche gehen soll – allein, ob die Zeit hinreicht und die Kraft, ein Treffen auch zustande zu bringen, das steht in den Sternen.

Es hat etwas Rührendes, dieses «Wir müssen uns bald sehen». Denn es drückt aus: Ich mag dich, ich liebe dich vielleicht sogar, ich bin gern mit dir zusammen; verdammt, warum es nicht klappt, weiß ich auch nicht; aber der Wille ist da, das musst du mir glauben, sonst würde ich es dir nicht schwarz auf weiß geben.

Ja, es steckt in dieser Formulierung eine Sehnsucht, die nur durch die Tat gestillt werden könnte, aber das Geheimnisvolle an unserem «Kommunikationszeitalter» ist, dass wir vor lauter Bäumen den Wald nicht mehr sehen. Was in unserem Fall heißt: Wir sehen vor lauter interessanten oder wichtigen Menschen, die unseren Weg kreuzen, mit denen wir täglich zu tun haben, den fernen Freund nicht mehr, den wir eigentlich nie vergessen wollten.

Und nun nimmt das alte Jahr seinen Hut und geht, und wir erschrecken beim Schreiben der Weihnachts- oder Neujahrsgrüße: Mensch, den hast du wieder nicht getroffen! Ja, du bist auch einmal sogar in seiner Stadt gewesen, aber irgendwie hat die Zeit nicht gereicht, und angerufen hast du auch nicht, schlechtes Gewissen und so, denn eigentlich wolltest du dich ja schon viel früher «unbedingt melden».

Und so jagt die Zeit dahin, immer schneller, der Puls ist auf Geschwindigkeit eingestellt, und wieder haben wir nur die Oberfläche unserer gesellschaftlichen Verbindungen poliert, nur diejenigen gesprochen, die sich von sich aus gemeldet haben. Wie denn auch: Immer kommt irgendjemand zur Tür herein – und die anderen, die Stillen, die nicht in der Nähe sind, zu denen man sich hinbewegen müsste, die haben wir ganz einfach vergessen.

Der Trost bei diesem traurigen Geschehen ist nur, dass es den meisten Menschen so geht wie dir. Und vielleicht besteht ja, was diesen Punkt angeht, das Glück des Lebens sogar mehr in den Möglichkeiten als in der Erfüllung?

Schon der berühmte Kritiker Alfred Kerr beklagte diesen Vitalitätsverlust mit seiner zugespitzten Bemerkung: «Jedermann will einen Freund haben, aber niemand gibt sich die Mühe, auch einer zu sein.»

Aber die Sehnsucht ist da! Und so schreiben wir «Hoffentlich sehen wir uns bald», eine Zauberformel, die uns in dem schönen Gefühl wiegt, nicht einsam sein zu müssen, wenn wir eine solche unausgelebte Freundschaft gleichsam in petto haben. Und wenn uns eines Tages im neuen Jahr danach zumute ist, können wir anrufen und sagen: «Du wirst lachen, ich komme jetzt wirklich bei dir vorbei, stell schon mal einen guten Tropfen bereit.»

Die Wassersuppe von Kalkutta

Liebe Freundin, Sie leiden also, wie Sie mir sagten, an der dahineilenden Zeit, in der sich an all dem Politischen so wenig ändert. Sie leiden darunter so sehr, dass sich Ihre Seele sogar zeitweilig verdüstert. Und Sie glauben den Optimisten nur insoweit, dass sich die Erde immer irgendwie weiterdreht, aber Ihrer Meinung nach in der falschen Richtung. Und die schwärzeste Wolke, die Sie am Horizont entdecken, sei die gegenwärtige Blockade in unserer Gesellschaft. Sie hänge wie eine Gewitterwand über uns, das sagten Sie bei unserem Telefonat auch noch.

Ich erzähle Ihnen jetzt von einer Legende, die ich soeben gelesen habe, die in einem fernen Erdteil spielt, die aber trotzdem den Kern des Problems trifft, an dem wir leiden.

Die Legende berichtet von vier indischen Bettlern, die zusammenkamen, irgendwo in den Straßen von Kalkutta, in denen einst der «Engel» Mutter Teresa für die Ärmsten der Armen unterwegs war. Sie wollten nicht nur über die Beute des Tages ihre Erfahrungen austauschen, sondern sie fassten auch den Beschluss, sich selbst einmal eine richtig gute Mahlzeit zu gönnen – und jeder sollte etwas dazu beitragen.

So trafen sich die vier am nächsten Abend wieder. Der eine Bettler hatte eine Hand voll Reis mitgebracht, der zweite ein Stück Fleisch, der dritte schmackhafte Wurzeln, der vierte einen Beutel Gewürze – es fehlte also an nichts.

Nun wurde Wasser geholt und jeder aufgefordert, seinen Teil

zum Gelingen beizutragen und in den Topf hineinzugeben. Nun warteten die vier Männer ab, bis die Suppe lange genug gekocht hatte – und dann wurde zum Mahl gebeten.

Mit geschlossenen Augen nahm jeder an einem kurzen Tischgebet teil, ehe das Essen ausgeteilt wurde. Wie groß aber war das Entsetzen, als jeder in der Runde nichts anderes erhielt als eine Schale – mit heißem Wasser. Was war geschehen?

In der Dunkelheit hatte jeder seinen Anteil zurückgehalten, weil er dachte, es würde ausreichen, wenn die anderen drei das Ihre für das gemeinsame Mahl gäben.

So ähnlich geht es auch in unserem Land zu.

Wir hören zwar die Versprechungen der Politiker, der Manager, der Verbandsfürsten, die alle wortreich verkünden, sie wollten zum Gelingen des Aufschwungs beitragen. Aber wenn es ernst wird, lassen sie dem anderen gern den Vortritt.

Ich kann Sie also nicht trösten, was diesen Punkt Ihres seelischen Kummers angeht – die politische Mahlzeit, die man in Berlin zusammenbraut, wird der Wassersuppe von Kalkutta ähneln. Wenn nicht wirklich Grundlegendes geschieht.

Und Sie selbst, liebe Freundin, die Sie unter der dahinschwindenden Zeit leiden, ohne dass etwas geschieht? Ich empfehle Ihnen, die Rezeptbücher der heutigen Fitness-Gurus zur Seite zu legen und einmal wieder in die Schriften der alten Meister zu schauen, welche die Gaukelspiele der Welt glasklar durchschaut und beschrieben haben, also Platon, Seneca, Epikur oder Marc Aurel, der uns diese Botschaft zurief: «Vergiss nie, dass jeder nur diesen gegenwärtigen Moment lebt. Die übrige Zeit hat er entweder gelebt, oder sie liegt im Ungewissen. Es ist also nur eine winzige Spanne Zeit, die ein jeder lebt, winzig auch der Fleck der Erde, wo er lebt.»

Liebe Freundin, genießen Sie in diesem Sinn diesen heutigen Sonntag. Und was die Mahlzeit angeht, welche die Politik auftischt, so denken Sie bitte daran: Die Wassersuppe von Kalkutta wird heute leider überall serviert.

Die Zeitdiebe sind unterwegs

Es begann überraschend unfreundlich, als ich kürzlich den Mann besuchte, der in den Velours-Etagen der Macht residiert, ein Star der Wirtschaft, umgeben von Status-Lametta, ein Mann, der drei Vorzimmerdamen beschäftigt, also ein Mann wichtig, wichtig. Eine der drei Damen flötete mir zu, als ich zum festgesetzten Termin erschien: «Hoffentlich haben Sie viel Zeit mitgebracht» – um mich dann ins Wartezimmer zu schicken.

Sie tat so, als ob man Zeit in einem Koffer oder in einer Aktentasche bei sich trägt, um sie dann Stück für Stück auszupacken.

Während ich also vor mich hin wartete, mürrisch in einem Magazin blätterte, auf die Uhr schaute und nach zehn Minuten zum ersten Mal mit dem Gedanken spielte, in Kürze zu gehen, einfach zu gehen, denn wozu ist man bestellt ... «Sie müssen sich leider noch etwas gedulden», sagte die Sekretärin, indem sie ihren Kopf schnell in die Tür steckte, ehe sie wieder verschwand.

Ihr Chef hatte sich, wie ich dann entschuldigend von ihm erfuhr, aus Gedankenlosigkeit verspätet, was mich geschlagene fünfunddreißig Minuten Warten gekostet hatte. Ich ärgere mich noch heute, wenn ich daran denke.

Fünfunddreißig Minuten meiner Lebenszeit – einfach vorbei, einfach futsch. Und schon fiel mir mein Liebling Seneca ein, der sich bereits vor zweitausend Jahren gewundert hat, wie leichtfertig man andere Menschen um Zeit bittet – und sie gewährt:

«Jeder achtet wohl darauf, weshalb um Zeit gebeten wird, aber keiner auf die Zeit selbst. Es ist gleichsam, als wenn man um ein Nichts gebeten wird oder als wenn man mit ihr nichts gibt, die doch das Wertvollste von allem ist.»

Schauen wir genauer in unseren Tagesablauf. Es ist schon phantastisch, wo überall «Zeitdiebe» unterwegs sind und mit welchen Sprüchen sie diejenigen ins Leere laufen lassen, die über die Tugend der Pünktlichkeit versuchen, einen Zeitverlust nicht zu schmerzhaft werden zu lassen: «Nicht so eilig, junger Mann, alles zu seiner Zeit.»

Ich höre noch den schrillen Ton einer Kassiererin im Warenhaus, die in Ruhe ihre Kasse prüfte, während ich auf glühenden Kohlen saß.

Sie wollte mir sagen: Zeit ist für jeden ein anderer Stoff. Wer arbeitet, für den fliegt sie dahin wie ein Pfeil, für den, der warten muss, ist sie ein träg fließender Strom, in dem Pünktlichkeitshoffnungen ertrinken.

«Zeitdiebe» sind – und das macht sie so gefährlich – auch dort unterwegs, wo man sie gar nicht vermutet.

So heißt es, achtsam zu sein bei all denen, die reden, schreiben, Theater spielen, sich in Diskussionen das Wort erkämpfen und es bei Sabine Christiansen nie wieder loslassen.

Auch gedruckt wird heute gar vieles. Wir ertrinken in der Flut der Wörter, die mediale Berieselung gleicht längst einem Hochwasser, aber was wird von all dem Gedruckten wirklich gelesen, was verstanden – und wo gibt es welche Wirkung?

Ich möchte Ihr Gefühl schärfen für den Verlust, den Sie tagtäglich erleiden, ohne es zu bemerken: beim quälend langweiligen Theaterstück, weil sich ein Regisseur selbst verwirklichen wollte; beim Roman, der einen auf hundert Seiten nicht fesseln kann; bei Konferenzen, die nicht «zielführend» sind, wie Manager sagen; bei Fernsehproduktionen, die den Verdacht rechtfertigen, dass die Schauspieler mehr «Fun» hatten, als die Zuschauer je haben werden. Und bei Schriften aller Art, die Autoren anscheinend nach dem hochnäsigen Motto formulieren: «Wer mich liest, hat selbst Schuld.»

Wo gibt es noch Demut, die in einer Widmung zu finden ist, die der alte Theodor Storm in eines seiner Bücher schrieb: «Du gehst im Morgen, ich im Abendlicht, lass mich dies Buch in deine Hände legen, und konnt es je dein Herz bewegen, vergiss es nicht.»

Wer, frage ich, bewegt von all den «Zeitdieben» in der Welt der Künste noch unser Herz?

Handy und E-Mail sind nicht alles

Es ist schon sonderbar. Wir leben inmitten einer lauten, lärmenden Welt. Wir werden unermüdlich mit Wörtern bombardiert. Auch Worthülsen fliegen uns um die Ohren. Wir sind Kinder des Kommunikationszeitalters – welch ein schreckliches Wort für eine nicht nur erfreuliche Sache – und denken, dadurch eingebunden zu sein in den Strom des Lebens.

Der Lärm ist beträchtlich. Politiker überschlagen sich, wollen uns ihre Programme verkaufen. Die Werbung trommelt. «Call now!», «Du musst!», «Du sollst!» (mir erst deine Aufmerksamkeit und dann dein Geld schenken). Und dann sind da die allgegenwärtigen Medien auf fiebriger Quotenjagd. Sie lullen uns in dem Gefühl ein, überall dabei zu sein. Und dabei sein ist ja heute so gut wie alles.

Aber dann passieren furchtbare Dinge in der Welt, die Trauer hervorrufen. Und Sprachlosigkeit. Ganz still wird es auf einmal. Und die Menschen sagen, dass sie viel mehr miteinander reden müssen.

Nicht nebeneinander und gegeneinander, sondern miteinander.

Wir sind auch die Kinder des Informationszeitalters, ebenfalls so ein schreckliches Wort. Aber plötzlich erkennen wir: Wir sind in Wahrheit ja in erster Linie nur Konsumenten all dessen, was uns andere erzählen, berichten, auftischen. Im Umgang miteinander aber versagen viele von uns – sind seltsam sprachlos. Und plötzlich erhebt sich, wie eine Meereswoge bei Sturm, die Sehnsucht in den Menschen nach dem ehrlichen, aufrichtigen Gespräch. Wir, die wir mit Talk-Shows großgefüttert wurden, in denen es vor allem auf medienwirksame Effekte ankommt, haben wieder Hunger nach dem Echten und Wahren. So holen wir das Gespräch, diese gute alte bewährte Medizin, aus der Hausapotheke der Erinnerung.

Weil wir all der Phrasen müde geworden sind, mit denen wir die wirklichen Probleme des Lebens übertünchen. Beispielsweise dieses unverbindliche «Hallo, wie geht es?» mit dem Echo «Es geht so». Weder die Frage noch die Antwort haben zumeist etwas mit dem Erforschen der wahren Befindlichkeit zu tun. Das ist alles nur rhetorisches Kleingeld. Neben dem Gespräch gibt es die Unterhaltung, die an der Oberfläche des Lebens entlanggleitet. Sie kann in schwierigen Momenten leider nur wenig Hilfreiches bewirken. Auch der Gedankenaustausch als intellektuelles Vergnügen reicht nicht aus. Die Sonde muss in die Tiefe gehen. Denn in den Tiefen ihrer Seelen sind die Menschen nach allen Umfragen so einsam wie noch nie.

«Hattest du ein gutes Gespräch?», fragen wir gerne, wenn jemand von einem wichtigen Termin zurückkehrt. Wir wissen aus Erfahrung: Ein gut geführtes Gespräch verändert den Kurs des Lebens, sei es total («Ich habe den Job bekommen»), sei es in Nuancen («Ich muss noch einmal darüber schlafen»). Aber keiner ist nach einem intensiven Gespräch derselbe wie zuvor. Das Geheimnis eines guten Gesprächs ist das Zutrauen des einen zum anderen, das gegenseitige Vertrauen ohne Einschränkung, der Bekennermut, bei dem man die Maske fallen lässt, mit der man sich sonst durchs Leben schlängelt. Ein gutes Gespräch braucht Zeit und, so seltsam es klingt, die Gabe, auch mal zu schweigen.

Das Einfühlungsvermögen, das sich im schweigenden Zuhören zeigt, ist heute fast krankhaft verkümmert. «Nun wollen wir mal von Ihnen reden», sagt der egozentrische Künstler – «wie fanden Sie mich denn in meiner letzten Rolle?» So bitte nicht!

E-Mail und Handy täuschen uns vor, dass wir Kontakte ohne Ende haben, dass wir kommunizieren. Aber mit einem guten Gespräch hat das alles nichts zu tun. Goethe fragte einmal, was herrlicher ist als Gold und erquicklicher als Licht? Seine Antwort: das Gespräch. Wie gut, dass wir uns manchmal wieder darauf besinnen.

Träume werden wahr

Sehnsucht, eine große Sehnsucht, ist in mir. Eine Sehnsucht nach Weite, nach Ruhe, nach Schönheit! Wie sehr habe ich mich auf diesen Augenblick gefreut! «Nur noch ein paar Minuten», sagt der Taxifahrer und biegt in die Kurve Richtung Hafen. Und dann liegt es vor mir: das weiße Schiff. Es scheint aus dem Wasser emporzuwachsen, unwirklich und doch Realität. Die Motoren tönen leise, der stählerne Riese scheint zu atmen. Ich habe das Gefühl, dass das Schiff sich freut, wieder auf Fahrt zu gehen.

«Da möchte ich mal mitreisen», sagt nun der Taxifahrer, während er mir die Koffer hinstellt. Er schaut steil nach oben, hin zur Kommandobrücke. «Ein Traum», sagt er. Ich weiß nicht genau, was er damit meint: die Reise, die gleich beginnt, oder dieses Schiff, das in einer Stunde die Leinen losmachen wird.

Jetzt kommt der Augenblick, da ich an Bord gehe. Es ist wie eine Verwandlung. Alles Alltägliche, all das Zermürbende, lasse ich an Land zurück. Es fällt von mir ab wie ein Panzer, der mich einzwängte. Ich begebe mich in eine neue Obhut. Und das Schiff nimmt mich auf wie einen Freund. Die Stewards stehen aufgereiht zur Begrüßung der Passagiere, ein Spalier der Herzlichkeit. Das Erstaunlichste ist, wie schnell man sich einfindet in dieser neuen Welt, der Welt des Schiffes und der Welt der Meere. Ein gesteigertes Lebensgefühl ist plötzlich in mir. Eine Erwartung, die keine Grenzen kennt. Mit keinem anderen

Reiseerlebnis ist dieses Gefühl vergleichbar. Das Fliegen geht schneller, aber auf dem Schiff hat die Seele Zeit, der Verände-rung zu folgen. Und gäbe es all die vielen Erlebnisse und Abenteuer auf den Landausflügen nicht, das Schiff selbst wäre schon Attraktion genug.

Denn heute, da ein ständig wachsender Tourismus auch die geheimsten Ziele überschwemmt, ist die Frage nicht mehr so sehr, ob wir eine Stadt, eine Landschaft, ein Naturwunder mögen oder nicht, sondern ob unsere Zuneigung erwidert wird. Und die Rückkehr abends zum Schiff ist immer aufs Neue auch ein Nachhausekommen. Liebe also zu einem Schiff, ist das möglich?

Wir werden es nach zwei, drei Wochen wissen, wenn wir von Bord gehen und etwas zurücklassen, was unserem Leben Weite gegeben hat.

Illusionen können wunderschön sein

Seit Ewigkeiten hatte sie keinen Zauberkünstler mehr gesehen. Nun stand einer im wahrsten Sinne des Wortes wie hingezaubert auf der Bühne des «Kaisersaals» und tauchte den Abend in eine geheimnisvolle Welt voller Überraschungen. Und während er mit Spielkarten, Blumen und Bällen wahre Wunder vollführte, dachte sie an ihre erste große schwärmerische Liebe, die einem Zauberkünstler gegolten hatte, der in ihrem kleinen Ort bei einer Tournee Station gemacht hatte. Sie erinnerte sich genau daran, wie dieser dunkle elegante Mann sie damals in seinen Bann zog, als sie eine Karte wählen musste, die er schon kurz darauf zu nennen wusste: «Es war Herz-Bube, es kann bei Ihnen, schönes Fräulein, nur ein Herz-Bube gewesen sein.»

Nie war ihr zuvor ein Fremder so nahe gekommen, und die Blicke, die er ihr von der Bühne herunter zuschickte, waren so ganz anders als die Blicke ihrer Freunde aus der Schule oder vom Tennisplatz. Und so besorgte sie sich heimlich Karten für die Vorstellungen der nächsten Tage.

Als sie am dritten Abend beim Applaus über einen besonders gelungenen Seiltrick von ihrem Sitz hochschnellte, lächelte er ihr zu, ja, er hatte ihre Begeisterung bemerkt. Dann geschah etwas, was sie niemandem, nicht ihren Eltern, ihren Geschwistern, später auch nicht ihrem Mann, jemals erzählt hat. Sie schrieb dem Magier einige Zeilen der Bewunderung und Zuneigung, den ersten Liebesbrief ihres noch jungen Lebens, den sie allerdings noch am Abend desselben Tages in kleine Stücke zerriss.

Seit jenen Tagen ist sie nie wieder in einem Varieté gewesen, hat nie wieder einen Zauberkünstler gesehen, bis jetzt zu diesem Abend im «Kaisersaal»: «Toll, was dieser Junge alles zeigt», hörte sie die Stimme ihres Mannes, der ihr zwischen zwei Tricks zuprostete, «aber es ist ja doch alles nur Illusion.» Sie überlegte für einen Augenblick, ob sie ihm von ihrer Jugendschwärmerei berichten sollte, beschloss aber, das Geheimnis in ihrem Herzen zu bewahren. «Auch Illusionen können wunderschön sein, nicht wahr?», sagte sie nur.

Die verwunschene Insel

Es gibt diese Augenblicke, in denen plötzlich Sehnsucht aufflackert. In denen man von dem Gefühl überwältigt wird, «irgendetwas» falsch zu machen in diesem Leben, das einem nur einmal geschenkt wird. Dies schien so ein Augenblick zu sein, als das Schiff durch die Nacht hindurchglitt, als am Fenster eine kleine Insel auftauchte, nur in den Umrissen erkennbar, und darüber auch noch ganz romantisch die Sichel des Mondes.

«Ich sehne mich so nach Ruhe, ich kann dir gar nicht sagen, wie sehr.» Er hörte die Worte seiner Frau und erschrak. «Denkst du, mir geht es anders?», erwiderte er dann. Sie waren vor drei Tagen an Bord gegangen, ein vom Beruf und dem damit verbundenen gesellschaftlichen Leben strapaziertes Paar. Und nun gab es da diese Insel und diese jäh aufbrechende Sehnsucht nach dem «einfachen Leben», was immer das sein mochte. «Was ist, wenn wir unsere Firma verkaufen?» Ihre Frage hatte etwas Angespanntes. «So weit kommt es noch», erwiderte er sofort. Und sie spürte augenblicklich, wie sich in ihm Zorn aufbaute. Als ob das glanzvolle Leben an seiner Seite nichts sei. «Glaubst du wirklich, dass wir dann glücklicher wären?»

Er erwartete keine Antwort. Sie wusste, welche Gedanken in seinem Kopf herumgingen: dass man eine solche Reise nicht geschenkt bekommt, dass einem überhaupt im Leben nichts geschenkt wird und dass der Traum vom einfachen Leben auf einer verwunschenen Insel nichts ist als ein Traum, «fernab aller Realitäten». Und so trat sie näher und hauchte einen Kuss auf seine Wange. «Ist ja schon gut», sagte er und zog die Smoking-Fliege fester. «Freuen wir uns auf das Captain's Dinner, das gibt's ja schließlich auch nicht alle Tage.»